350 TRUCS POUR AVOIR
UNE BELLE PELOUSE

Données de catalogage avant publication (Canada)

Gélinas, Claude

350 trucs pour avoir une belle pelouse

Publ. à l'origine dans la coll.: Collection Guides pratiques.

ISBN 2-7640-0111-8

1. Pelouses - Entretien. 2. Pelouses. I. Titre. II. Titre: Trois cent cinquante p'tits trucs pour avoir une belle pelouse. III. Titre: Trois cent cinquante petits trucs pour avoir une belle pelouse. IV. Titre: 350 petits trucs pour avoir une belle pelouse.

SB433.G44 1996 635.9'647 C96-940463-8

LES ÉDITIONS QUEBECOR
7, chemin Bates
Bureau 100
Outremont (Québec)
H2V 1A6
Téléphone: (514) 270-1746

Dépôt légal, 2e trimestre 1996

Bibliothèque nationale du Québec
Bibliothèque nationale du Canada
ISBN: 2-89089-672-2 1re publication
ISBN: 2-7640-0111-8

Éditeur: Jacques Simard
Coordonnatrice à la production: Dianne Rioux
Conception de la page couverture: Bernard Langlois
Photo de la page couverture: Peter Griffith/Masterfile
Impression: Imprimerie L'Éclaireur

---

350 TRUCS POUR AVOIR UNE BELLE PELOUSE

CLAUDE GÉLINAS
AGRONOME

VILLE DE MONTREAL
3 2777 0190 7671 5

PRÉSENTATION

La pelouse a indéniablement de grandes qualités esthétiques; de plus, elle représente environ 3 % de la valeur marchande de la maison.

En été, elle contribue à nous rafraîchir (qu'on pense seulement à la chaleur que dégagent les cours en asphalte!), elle libère de l'oxygène et absorbe du gaz carbonique.

L'entretien et la bonne santé de la pelouse prennent donc une grande importance.

Ce petit guide vient répondre aux questions que l'on se pose le plus souvent à propos des semis, des engrais, des produits herbicides, insecticides, rodenticides, des maladies et des traitements.

Les termes suivis d'un astérisque sont expliqués plus en détail ailleurs dans le texte. Consultez la table des matières.

TABLE DES MATIÈRES

ACCUMULATION DE POUDRE BLANCHE

Voir *Mildiou.*

AÉRATEUR

L'aérateur est une sorte de machine munie de dents creuses qui sert à perforer le sol et à extraire des «carottes».

On peut le louer dans un centre de location d'outils.

(Voir aussi Aération.)

AÉRATION

On peut procéder à l'aération au printemps ou à l'automne, dès que la terre est assez sèche pour ne pas garder l'empreinte du pied et qu'au moins 40 % de la surface a commencé à verdir. L'aération est la meilleure méthode pour réduire le chaume* et pour aider le système racinaire à descendre en profondeur, tout en permettant à l'eau et à l'air de pénétrer en profondeur.

Dans le cas d'une épaisseur de chaume importante, cette opération doit être suivie d'un terreautage* pour obtenir de meilleurs résultats.

L'aération consiste à perforer la surface du sol à l'aide d'une machine appelée aérateur*, dont les longues dents creuses servent à extraire des «carottes» (bâtonnets) de chaume et de terre. Les trous sont d'environ 7 cm (3 po) de profondeur et à intervalles de 7 à 10 cm (3 à 4 po).

Les pelouses dont le chaume est très important devraient être aérées chaque année.

Passez la machine dans les deux sens pour obtenir de meilleurs résultats. Vérifiez si la couche de chaume a bel et bien été perforée en examinant les «carottes»: il doit y avoir de la terre à l'extrémité. S'il n'y a que du chaume, c'est qu'il est trop épais, et cette aération ne sera pas suffisante. Il faudra obligatoirement avoir recours au terreautage*.

Il existe également des rouleaux munis de dents qu'on peut louer mais, puisqu'ils n'extraient pas de «carottes», leur efficacité est limitée.

AGROSTIDE

Cette graminée* à croissance vigoureuse, qui exige une tonte très courte, est surtout utilisée sur les verts des parcours de golf.

Sur votre terrain — et si la tonte n'est pas assez rase — l'agrostide a tendance à former des tiges horizontales et à retrousser de façon désordonnée dès qu'on met les pieds dessus, ce qui lui donne une apparence malpropre.

Sa couleur plus pâle et sa croissance très serrée produisent un effet disgracieux sur un terrain.

Elle résiste mal au *2-4 D*, un des ingrédients actifs des herbicides* pour pelouse. Les mélanges à gazon qui en contiennent sont donc à proscrire.

ALGUES

On retrouve dans les bons centres de jardinage des extraits d'algues, sources naturelles de plusieurs oligo-éléments* essentiels à une belle pelouse et facilement assimilables.

Les algues aident le gazon à résister à divers stress (chaleur excessive, maladie, etc.) ou lui permettent de récupérer rapidement après un problème majeur. Toutefois, pour avoir les résultats souhaités, il faut appliquer de faibles doses, préférablement sur de jeunes plants et en début de saison.

Si les extraits d'algues ne peuvent constituer la source unique de nourriture pour nos pelouses, ils sont cependant un excellent complément.

Recommandation: n'appliquez jamais ce produit par temps très sec à cause du haut niveau de sodium qu'il contient; votre pelouse pourrait brûler.

ALTERNATIVE À L'ANALYSE DU SOL

Lors de l'installation de la pelouse seulement. Bien qu'il soit préférable de procéder à l'analyse du sol avant de rénover la pelouse, on peut toujours remplacer cette étape par une application de chaux dolomitique granulée et d'engrais «gazonneur» à dose réduite. (Suivre les recommandations du fabricant.)

(Voir aussi *Chaulage* et *Engrais gazonneur.*)

ANALYSE DU SOL

Il est bon de faire analyser votre sol tous les deux ans pour en déterminer le pH*. La meilleure période pour ce faire est le début de l'automne.

Une analyse complète est rarement nécessaire. La plupart des laboratoires offrent, en plus du calcul du pH, l'analyse de l'azote*, du phosphore* et du potassium*.

Si, à l'analyse, on décèle une carence en AZOTE ASSIMILABLE, cela ne signifie pas pour autant que votre sol soit pauvre en azote. Cette analyse ne tient compte, en fait, que des nitrates (sortes de sel). Il existe d'autres formes d'azote dans le sol, comme l'urée, l'ammoniaque et diverses formes d'azote à dégagement progressif. Il faut donc que l'analyse évalue la teneur en azote dans sa totalité, sinon elle ne sert à rien. Il faut aussi se rappeler que l'azote étant l'élément qu'on fournit le plus à la pelouse, il est peu probable qu'il y ait une carence de cet élément.

Le phosphore est rarement déficitaire. Toutefois, si l'analyse indique que votre pelouse souffre d'une carence en cet élément, utilisez un engrais «gazonneur» (10 kg par 250 m^2) ou «transplanteur» 10-31-4 liquide (1 à 2 litres par 100 m^2).

Après le pH, le potassium est l'élément le plus souvent déficitaire sur une pelouse, surtout si le sol est sablonneux.

AOÛT

Août est le mois des champignons*. Vérifiez ce qui peut causer leur apparition (bois mort, dormant de chemin de fer) sinon il sera assez difficile de résoudre ce problème.

Lorsque la température redevient normale (inférieure à 26 °C [78 °F]) on peut recommencer à traiter avec l'herbicide*.

Pour redonner un vert éclatant à la pelouse après un dur été, faites une application de revitalisant* ou de fer*. La mi-août représente la meilleure saison pour l'ensemencement*.

ARAIGNÉE

Voir *Tétranyque du trèfle.*

ARROSAGE

Il est préférable d'arroser le matin, plutôt que le soir, pour permettre au feuillage de sécher avant la nuit, surtout en période propice aux maladies*.

Une pelouse bien entretenue a besoin de 5 cm (2 po) d'eau par semaine, qu'on doit lui fournir si possible en une ou deux fois. Il est préférable d'arroser abondamment et moins souvent plutôt qu'un peu tous les jours.

Contrairement à ce qu'on croit généralement, un arrosage au soleil, surtout s'il est abondant, n'endommage pas la pelouse.

Un arrosage de 4 à 5 minutes au milieu de la journée lors des grosses chaleurs contribue même à réduire les risques de maladie en abaissant la température de la surface du sol. (Voir *Fusarium.*)

Laissez un plat sur la pelouse pendant que vous l'arrosez pour déterminer le temps nécessaire à un bon arrosage. Arrêtez lorsque le plat contient de 2,5 à 3 cm (1 à 1,5 po) d'eau.

AVRIL

Dès que le sol s'est asséché, commencez le nettoyage*. À l'aide d'un râteau, enlevez l'herbe sèche et tous les autres débris végétaux pour permettre à la pelouse de respirer.

Il est cependant trop tôt pour utiliser la déchaumeuse*: il faut que le gazon soit en croissance active. Il faut aussi attendre que le gazon soit complètement sec pour procéder à l'aération*.

Vers la fin du mois, quand le gazon commence à verdir, c'est le temps d'appliquer une première dose modérée d'engrais*. Ne dépassez pas 0,5 kg (1 lb) d'azote* par 100 m² (120 v²), sinon vous stimulerez trop le feuillage au détriment des racines. Cela affaiblirait la pelouse et elle ne pourrait supporter les chaleurs de l'été. L'engrais avec herbicide* antidigitaire est tout désigné à cette période.

Pour les mordus de la couleur, une application de fer* chelaté liquide (*chloro* +) leur donnera la pelouse la plus verte en ville! Ce produit est disponible dans la plupart des centres de jardinage.

La fin du mois d'avril constitue un temps propice pour ressemer du gazon aux endroits où l'hiver a laissé des traces. (Voir *Semis*.)

AZOTE

L'azote est l'un des éléments essentiels aux plantes. Dans l'engrais, il stimule la croissance du gazon. Le premier chiffre qu'on aperçoit sur un contenant d'engrais nous indique le pourcentage de sa teneur en azote.

Pour connaître la dose d'azote par 100 m^2 (120 v^2), on multiplie le poids du contenant par ce premier chiffre. Le poids d'azote ainsi obtenu est divisé par le nombre de 100 m^2 (120 v^2) que cet engrais est supposé couvrir. Exemple: un sac de 20 kg (44 lb) de 21-4-6 devant couvrir 600 m^2 (720 v^2) se calcule comme suit: 20 x 21 % = 4,2 kg d'azote et 4,2 ÷ 6 = 0,7 kg par 100 m^2 (1,5 lb/ 120 v^2).

Ce calcul nous permet de remarquer que les étiquettes d'engrais granulaires recommandent des doses souvent excessives (bien supérieures à 0,45 kg [1 lb]). Les engrais liquides, surtout en format de 2 litres (2 pintes), comportent des doses très faibles (0,15 kg [0,3 lb]). Les formats de 4 litres (4 pintes) par 300 m^2 (328 v^2) sont plus recommandables. (Voir *Fertilisation*.)

Les types d'azote utilisés dans la fabrication des engrais de pelouse sont les suivants:

— *Le nitrate*. À éviter sur la pelouse, car il se dégage trop rapidement (en quelques jours seulement) et il risque de brûler la pelouse.

— *L'ammoniaque*. Utilisée en petite quantité et combinée au phosphore, elle se transforme rapidement en nitrate. Son effet est donc très rapide.

— *L'urée*. C'est la source la plus commune. Elle se dégage en quelques semaines, selon la température, mais ne dépasse pas trois semaines. Plus il fait chaud, plus c'est rapide.

— *L'azote à dégagement lent.* Il libère l'urée qu'il contient en 4 à 6 semaines. Les engrais de qualité en possèdent une bonne quantité. Le gazon verdira de façon régulière et durable. Recherchez le pourcentage d'azote sur l'étiquette: plus il est élevé, meilleur c'est.

Quel que soit le type d'engrais choisi, on ne devrait jamais appliquer plus de 450 g (1 lb) d'azote par 100 m^2 (120 v^2).

À ceux qui préfèrent appliquer une quantité importante d'azote et que la tonte fréquente ne décourage pas, on recommande de choisir un engrais également riche en potassium*. Ce dernier élément prévient les effets néfastes du surplus d'azote et diminue la susceptibilité de la plante aux maladies*.

BADIGEONNAGE

On utilise cette méthode sur les feuilles de certaines mauvaises herbes difficiles à contrôler ou encore trop mal placées (comme dans une haie) pour être pulvérisées de façon conventionnelle.

On se sert généralement de glyphosate (*round-up, clear-it*), que l'on applique au pinceau, directement sur le feuillage. C'est plus long, mais très efficace.

BÉNOMYL

Produit fongicide* employé surtout dans le traitement du fusarium*.

BON SOL

Pour que votre gazon pousse bien et qu'il soit en santé, le sol doit posséder certaines caractéristiques, dont un bon drainage* et une aération* adéquate. Il doit aussi être bien nourri à l'aide d'engrais*, avoir un pH* légèrement acide et renfermer suffisamment de matières organiques.

BOULETTES GRIS-BLEU COLLÉES AU FEUILLAGE

Voir *Moisissure visqueuse*.

BRÛLURE À L'ENGRAIS

On reconnaît facilement la brûlure à l'engrais, car le bout des feuilles sèche graduellement, en descendant.

Le meilleur remède, c'est l'arrosage, qui dilue l'excès d'engrais.

À ne pas confondre cependant: une tondeuse aux lames mal aiguisées produit les mêmes symptômes. (Voir *Tonte*).

BRÛLURE À L'HERBICIDE

On reconnaît ce type de brûlure au jaunissement* uniforme du feuillage et à la faiblesse générale de la plante. L'arrosage aide grandement le gazon à récupérer et, généralement, la pelouse revient d'elle-même à la normale en deux ou trois semaines.

CALANDRE

C'est la larve du charançon, petit coléoptère à bec d'éléphant. Elle est blanche et trapue et a la forme d'un croissant d'environ

5 mm de long. Sans pattes apparentes, elle se nourrit de racines et de tiges de pâturin*.

Au printemps, on peut voir des perforations à même les feuilles. Ce sont les dégâts causés par les insectes adultes. De la fin de juin jusqu'en août, les larves sont très actives. On remarque leur passage par les blessures qu'ont subies les tiges et les feuilles coupées en forme de U caractéristique. Le gazon s'arrache, un peu comme pour le ver blanc*, mais les dégâts sont quand même moins importants.

Le contrôle se fait avec le *diazinon* ou le *chlorpyriphos* qu'on fait suivre d'un arrosage léger. Évitez d'arroser durant les jours qui suivent pour maximiser l'effet. (Voir *Insecticide*.)

CAREX

Le carex est une plante herbacée de la famille des Cypéracées; selon le *Robert*, on l'appelle communément *laîche*. Elle a des feuilles coupantes, des fleurs en épis, des fruits en capsule et elle pousse en touffes, souvent au bord de l'eau.

CAROTTES (de terre)

On appelle «carottes» les bâtonnets de terre que retirent les dents creuses de l'aérateur* lors de l'aération* du sol.

CERCLE DE FÉE

Une bande de champignons en forme de cercle ou de fer à cheval est l'indice que votre pelouse est atteinte de cette maladie. Quelquefois, surtout au printemps, les champignons n'étant pas encore sortis, on notera seulement la présence d'une bande vert foncé de la même forme.

Cette maladie se développe dans les sols pauvres et secs où le chaume* est abondant. Aucun fongicide domestique ne la contrôle. Voici comment procéder pour s'en débarrasser:

L'enlèvement du sol contaminé, sur une profondeur de 60 cm (2 pi) et sur une superficie d'au moins 60 cm (2 pi) plus large que le cercle de champignons, s'impose. Attention de ne pas répandre le sol en le transportant pour ne pas introduire la maladie ailleurs. Il ne reste plus qu'à refaire la pelouse à la place du trou qu'on a creusé.

On peut aussi procéder à l'asphyxie du champignon en injectant de l'eau savonneuse de façon à saturer le sol et à le maintenir dans cette condition pour une période d'au moins deux à trois semaines. On devra également refaire le gazon qui ne pourra pas supporter cet excès d'eau. Une aération* avant ce traitement aidera l'eau à pénétrer en profondeur.

La meilleure méthode, toutefois, est probablement la patience. Dans la majorité des cas, la maladie disparaît d'elle-même après deux ou trois ans et on n'aura pas à refaire le gazon. Il est rare que cette maladie tue de grandes surfaces de pelouse.

Pour la faire disparaître plus rapidement, il suffit de maintenir une bonne fertilisation*, et surtout de lutter contre l'accumulation de chaume par un arrosage* judicieux, l'aération* et le terreautage*. Une pelouse vert foncé camouflera la bande verte produite par la maladie et le ramassage des champignons à mesure qu'ils sortent préservera l'esthétique de la pelouse. Le temps fera le reste.

CHAMPIGNONS

Les petits chapeaux que l'on voit sur la pelouse sont, en fait, les fleurs du champignon lui-même. Ce dernier se trouve dans le sol et peut se voir sous forme de minces filaments blanchâtres ou roses semblables à des toiles d'araignées.

Les champignons mangent la matière organique en décomposition: souches, racines, bois et autres déchets de construction.

On doit s'attendre à les rencontrer sur une nouvelle pelouse pour au moins les trois premières années, car c'est le temps nécessaire à la disparition des éléments mentionnés plus haut.

Certaines personnes les nourrissent à leur insu en construisant des murets en dormants de chemin de fer. Ce type de matériaux étant souvent de piètre qualité, la partie enterrée se décompose assez rapidement et les champignons apparaîtront inévitablement en quelques années sur la pelouse jusqu'à une distance pouvant facilement atteindre 1,80 m (6 pi). La qualité du bois traité est primordiale pour ce genre de construction.

Un excès d'azote stimule l'activité des champignons. Heureusement, d'autres produits ont la vertu de faire verdir sans faire pousser et qui ne stimulent pas ces champignons. (Voir *Fer, Oligo-éléments*.)

Un sol acide favorise les champignons. Vérifiez régulièrement le pH de votre sol. (Voir *pH, Chaulage*.)

Si l'on veut absolument s'en débarrasser, tout bon fongicide* appliqué en profondeur fera l'affaire. Il faut percer des trous de 15 à 20 cm (6 à 8 po) de profondeur tous les 15 à 20 cm (6 à 8 po) de distance, en quadrillé, sur toute la surface affectée. On applique ensuite le fongicide suivi d'un bon arrosage.

(Voir aussi *Cercle de fée*.)

CHAT

Voir *Urine d'animaux domestiques*.

CHAULAGE

Le chaulage est l'application de chaux*. Le chaulage se fait au printemps ou à l'automne. On procède d'abord à l'analyse du pH* pour connaître la quantité de chaux requise.

À pH égal, un sol glaiseux* demande beaucoup plus de chaux pour corriger le pH qu'un sol sablonneux*.

On emploiera de préférence la *chaux dolomitique* puisqu'elle contient également du magnésium*, dont la pelouse est friande. Elle est maintenant disponible sous forme de granules où la chaux très fine a été mélangée avec une colle hydrosoluble. L'application est facile et propre et l'effet est plus rapide.

N'en appliquez pas plus de 20 kg/100 m^2 (44 lb/120 v^2). Si une quantité supérieure est nécessaire, répartissez ce surplus sur deux applications, une au printemps et l'autre, à l'automne suivant.

La chaux ne brûle pas la pelouse, même si la dose est trop forte. Mais si le pH monte trop, il s'ensuit un déséquilibre qui nuit à la pelouse. (Voir *pH*.)

CHAUME

Il se compose de 60 à 70 % de racines et de stolons morts (tiges souterraines entre deux touffes d'herbes). Les rognures de gazon y sont donc pour peu. Lorsqu'il dépasse 2 cm (0,75 po) son contrôle devient nécessaire.

Pour le réduire: aération*, terreautage* et inoculation de bactéries utilisées pour le compostage* sont les meilleures armes.

En sol sablonneux, des arrosages fréquents et peu abondants sont la principale cause de l'accumulation de chaume. Arrosez moins souvent, mais abondamment. Souvenez-vous que les racines se développent là où il y a de l'eau.

CHAUX

La chaux employée en horticulture est un carbonate de calcium et magnésium appelé dolomie ou chaux dolomitique.

Une application de chaux, en fonction des recommandations de l'analyse du sol, procure une meilleure croissance au gazon et améliore la structure du sol.

(Voir aussi *Chaulage*.)

CHÉLATE

Voir *Fer*.

CHIEN

Voir *Urine d'animaux domestiques.*

CHIENDENT

Le chiendent est une plante vivace de la famille des graminées qui se reproduit par ses graines et par ses rhizomes*. Il est très difficile de s'en débarrasser, car ses rhizomes s'enfoncent jusqu'à 30 cm (1 pi) sous la surface du sol et qu'un seul plant peut coloniser plusieurs mètres carrés en quelques années seulement. Ses rhizomes ont une croissance vigoureuse et produisent de nouveaux plants à chaque noeud (point de croissance).

La seule façon de le détruire est de le traiter au glyphosate* *(round-up, clear-it)*. Ceci est très important avant l'établissement d'une nouvelle pelouse ou lors de sa réfection.

Assurez-vous également que la terre que vous achetez n'en contient pas. On s'en assure en recherchant ses rhizomes blancs mélangés au sol.

CHLOROTHALONIL

Produit insecticide employé pour contrôler les populations de limaces.

CHLORPYRIPHOS

Produit insecticide qu'on retrouve dans certains engrais granulaires et liquides. Il est très efficace contre les insectes tels les punaises des céréales*, les pyrales des prés*, les tétranyques du trèfle*, les vers gris*, les fourmis* et les perce-oreilles*.

(Voir aussi *Insecticide*.)

CHOIX DES SEMENCES

Pour réussir sa pelouse, il faut acheter des semences à gazon Canada no 1.

Il est préférable d'utiliser des mélanges: les gazons faits à partir de semences pures sont plus facilement détruits par les maladies ou les infestations que les gazons issus de semences mélangées.

CIRCULATION DE L'AIR

Une bonne circulation d'air au niveau du gazon est la meilleure prévention contre les maladies de la pelouse. Des plantations judicieuses bloqueront les vents violents sans toutefois nuire à la circulation de l'air. C'est la seule façon de réduire, sur le feuillage, l'humidité qui favorise la germination des spores de champignons* susceptibles d'infester la pelouse.

COMPACTAGE

Rouler une pelouse lorsque le sol est trop humide compacte le sol. (Voir *Roulage*.)

Dans les endroits trop piétinés, le compactage du sol empêche la pelouse de pousser. La seule vraie solution est de faire un trottoir.

COMPOST

Le compost, une sorte d'engrais naturel, améliore la texture du sol et fournit de nombreux éléments nutritifs. (Voir aussi *Fumier, Compost*.)

CONTRÔLE DES GRAMINÉES ANNUELLES

Ces plantes passent l'hiver sous forme de graines. Elles doivent être détruites au printemps ou avant le début de l'été, sinon elles auront le temps de fleurir, et le traitement sera inutile.

Même si le plant est détruit avant que les graines ne soient mûres, celles-ci ont la capacité de terminer leur mûrissement et de germer au printemps suivant.

On contrôle les graminées annuelles (telle la digitaire*) de deux façons:

Contrôle en préémergence.

Le contrôle des graminées annuelles, avant qu'elles ne germent au printemps, doit être fait avant la mi-mai, ou avant que les forsythias ou les premiers pissenlits, près des fondations, ne fleurissent. Après ce stade, les graminées annuelles auront probablement germé et le traitement sera inutile.

La sécheresse printanière réduit considérablement l'effet d'un tel traitement. On doit garder le sol légèrement humide pour obtenir de meilleurs résultats.

Après le traitement, il faut éviter de racler, de déchaumer ou de piétiner à l'excès la pelouse, sous peine de manquer son coup.

On pourra ressemer la pelouse un mois et demi seulement après un tel traitement.

Si l'herbicide* antidigitaire est incorporé à un engrais granulaire*, il faut vérifier la taille des granules: plus ils sont fins, plus le traitement sera efficace, car c'est ce qui assure une distribution plus uniforme du produit.

*Contrôle en postémergence**

Il est maintenant possible de traiter les graminées, telle la digitaire, alors qu'elles ont déjà germé, en juin, avec du *fenoxaprop éthyle*. Ce produit agit très lentement (21 jours), mais il est très efficace.

Lavez bien votre pulvérisateur* avant d'y mettre ce produit qui n'est pas compatible avec les autres sortes d'herbicides ou de pesticides* dont vous auriez pu faire usage avant. Le lavage se fait facilement avec une solution commerciale d'ammoniaque diluée dans l'eau, qu'on laisse dans le pulvérisateur pendant quelques heures. Faites suivre d'un bon rinçage.

On ne doit pas appliquer ce produit sur une pelouse de moins d'un an ou quand la chaleur est excessive.

CONTRÔLE DES MAUVAISES HERBES À FEUILLES LARGES

Ceux qui désirent conserver le trèfle devraient choisir un herbicide* exempt de *mécoprop*, l'une des matières actives présentes dans les herbicides domestiques.

Le trèfle résiste au *2-4 D,* qui contrôle pourtant bien les autres espèces, comme le pissenlit.

Il ne faut pas traiter à l'herbicide une pelouse fraîchement tondue. Le feuillage des mauvaises herbes est trop réduit pour bien absorber le produit.

CONTRÔLE DES MAUVAISES HERBES DIFFICILES À DÉTRUIRE

Voir *Mauvaises herbes difficiles à détruire.*

2-4 D

Produit herbicide très efficace pour le contrôle des mauvaises herbes, tel le pissenlit.

DÉCHAUMEUSE

Sorte de râteau mécanique servant à retirer l'herbe morte qui s'accumule au fond de la pelouse. Son utilisation doit être précédée de la tonte car, si l'herbe est trop longue, son efficacité en sera grandement réduite.

Avec cette machine, vous n'enlèverez que la couche superficielle du chaume*. N'essayez pas de tout enlever, vous détruiriez la pelouse en même temps. Le réglage de la machine doit être fait pour que les couteaux effleurent la surface; il ne faut pas creuser dans le chaume. Évitez également l'angle des talus.

Utilisez cette machine après une aération* pour pulvériser les «carottes». La terre qu'elles contiennent sera retournée à la pelouse et le reste sera plus facile à ramasser.

Déchaumez la pelouse lorsqu'elle est bien sèche. En cas de doute, regardez si l'empreinte de votre pied reste sur la pelouse. Si oui, attendez.

DÉNEIGEMENT

Le déneigement de la pelouse pour agrandir le stationnement fera geler le sol en profondeur, ce qui est néfaste pour la pelouse. Il faut choisir: une pelouse ou un stationnement.

DÉNIVELLATION

Voir *Pente*.

DIAZINON

Produit insecticide dont l'effet est de courte durée. Il est souvent employé pour contrôler les infestations de vers blancs* et de calandres*.

Le diazinon n'est jamais combiné avec les engrais.

(Voir aussi *Insecticide*.)

DIGITAIRE

Cette graminée annuelle* passe l'hiver sous forme de graine. Elle envahit rarement toute la pelouse, se limitant aux zones où le sol est plus compact, en bordure des trottoirs, patios, stationnement, etc.

Dressez un schéma de votre terrain, y indiquant les zones où il y a de la digitaire. À l'automne, elle est facile à reconnaître à ses épis distincts, en forme de trois à cinq doigts violacés réunis par la base. Traitez ces zones au printemps, avant la germination des nouveaux plants.

La graine de digitaire a besoin de lumière pour germer. C'est pourquoi on la retrouve toujours sur une pelouse clairsemée. Le gazon fourni prévient donc son infestation. Réparez rapidement les endroits endommagés par l'hiver pour ne pas favoriser son expansion.

Deux espèces se retrouvent au Québec sur nos pelouses: la *digitaire astringente*, au feuillage vert pâle très serré et coriace, dont les fleurs sont en partie cachées dans le feuillage, et la *digitaire sanguine*, au feuillage plus fin, légèrement violacé, et plus clairsemé. Elle fleurit abondamment et c'est à ce stade qu'on la reconnaît le mieux.

(Voir aussi *Herbicide et Contrôle des graminées annuelles*.)

DIOXYDE DE SOUFRE

Produit parfois utilisé pour combattre la présence de certains petits mammifères.

(Voir *Taupe*.)

DRAIN

Voir *Installation d'un drain.*

DRAINAGE DE SURFACE

Le drainage de surface consiste tout simplement à favoriser l'écoulement de l'excès d'eau à la surface du sol.

Le drainage est vital pour votre pelouse, surtout l'hiver, pour éviter une accumulation de glace qui asphyxie le gazon.

Assurez-vous d'établir une pente régulière de 1 à 2 %, soit 15 cm (6 po) pour chaque 15 m (50 pi) de distance.

Lors d'un remplissage important, laissez au sol le temps de se placer pour éviter la formation de creux où l'eau s'accumulera.

Lorsque la cavité est profonde, l'eau est souvent difficile à éliminer. Installez alors un drain ouvert, composé d'une tranchée de 25 cm (10 po) de largeur sur 30 cm (1 pi) de profondeur remplie de gravier jusqu'à la surface, avec ou sans tuyau au fond. La pelouse recouvrira peu à peu cette zone de gravier et, en peu de temps, elle passera inaperçue.

Par des terreautages* successifs, il est possible de remonter le niveau du sol pour éliminer les affaissements sans avoir à refaire la pelouse.

DRAINAGE DU SOL ET SABLE

Mélangé à un sol très glaiseux et avec une source de matières organiques, le sable grossier contribue grandement à améliorer la structure du sol pour favoriser un bon drainage* et une meilleure aération*.

Il faut éviter les sables fins.

ÉCHANTILLON DU SOL

Voici la méthode à suivre pour prélever un échantillon de sol: à l'aide d'une pelle ou d'une sonde*, prélevez de petites quantités de sol de 1 à 15 cm (½ à 6 po) de profondeur à plusieurs endroits sur la pelouse, et mélangez-les dans un contenant propre. Prélevez-en ensuite une petite quantité (une bonne poignée) exempte de cailloux et de bouts de racines ou de feuilles, et laissez-la sécher à l'air libre. Lorsqu'elle est sèche, mettez-la dans un sac de papier — que fournit habituellement le laboratoire — et envoyez-la pour analyse.

N'envoyez jamais d'échantillon humide ou dans des sacs de plastique: vous favoriseriez le travail des bactéries du sol, ce qui influence le pH* et fausse les résultats.

ÉGOUTTEMENT

Voir *Drainage de surface.*

ENSEMENCEMENT

La période idéale pour ensemencer va de la mi-août à la mi-septembre. On peut aussi procéder à l'ensemencement lorsque le sol commence à geler ainsi qu'au printemps.

Dans ce dernier cas, toutefois, les problèmes de mauvaises herbes sont plus fréquents.

Pour connaître le taux de graines à ensemencer, suivez les recommandations du fabricant du produit que vous avez choisi.

La meilleure méthode pour ensemencer consiste à répandre la moitié des semences sur tout le terrain dans un sens et l'autre moitié dans l'autre sens.

Vous pouvez ensemencer à la main les petites surfaces. Sur les grandes étendues, utilisez un épandeur* (que vous pourrez louer chez les commerçants spécialisés dans la location d'outils).

(Voir aussi *Semis*.)

ENGRAIS

L'engrais est une substance que l'on ajoute au sol dans le but de lui fournir des éléments nutritifs essentiels pour une meilleure croissance du gazon.

Peu importe le type d'engrais choisi, s'il est appliqué selon les directives du fabricant, il doit faire verdir rapidement la pelouse sans pour autant la faire pousser à outrance.

Il existe sur le marché plusieurs types d'engrais pour répondre aux différents besoins. Renseignez-vous auprès de votre pépiniériste pour connaître celui qui convient le mieux à votre pelouse. (Voir aussi *Engrais à base organique, Engrais gazonneur, Engrais granulaire, Engrais liquide, Engrais organique* et *Engrais soluble.*)

ENGRAIS À BASE ORGANIQUE

Il ne faut pas confondre engrais organique* et engrais *À BASE ORGANIQUE* qui ne sont, en fait, que des engrais chimiques avec un peu de matières organiques ajoutées pour pouvoir inscrire le mot «organique» sur l'emballage. Ils sont tout aussi chimiques que les vrais engrais chimiques.

ENGRAIS GAZONNEUR

Cet engrais riche en phosphore aide à l'établissement des racines lors du semis* ou de la pose de tourbe*.

Sous forme granulaire (10-20-5), il s'applique au nivelage final. On le mélange aux 5 premiers centimètres (2 po) de sol, juste avant de semer ou de tourber, à raison de 4 kg (9 lb) par 100 m^2 (120 v^2).

Sous forme liquide (10-31-4), on peut l'appliquer avant de semer ou après la pose de la tourbe, à raison de 1 litre (1 pinte) par 100 m^2 (120 v^2).

ENGRAIS GRANULAIRE

Ne l'appliquez pas si la pelouse est humide ou mouillée. Les granules colleront au feuillage et il y a risque qu'elles le brûlent.

L'engrais avec herbicide* fait exception: il doit absolument être appliqué sur une pelouse mouillée. Les granules doivent adhérer aux feuilles des mauvaises herbes pour que celles-ci absorbent l'herbicide qui y est déposé.

Les formules contenant du magnésium* sont de qualité supérieure, mais n'en abusez pas. Une ou deux applications de magnésium par année comblent les besoins de la pelouse.

Placez-vous toujours ailleurs que sur le gazon pour remplir l'épandeur d'engrais*, car vous risquez d'en échapper sur la pelouse et de la brûler. Si jamais cela arrive, ramassez le plus d'engrais possible et arrosez abondamment pour lessiver le reste.

ENGRAIS LIQUIDE

C'est le seul type d'engrais à s'appliquer directement du contenant. Plus besoin d'épandeur*.

L'effet de cette forme d'engrais est plus rapide, à cause de son absorption en partie foliaire (par les feuilles), surtout s'il contient du fer* chelaté.

Choisissez les formules à haute teneur en azote à dégagement progressif pour obtenir une coloration rapide et durable, sans être obligé de tondre davantage. (Voir *Azote*.)

Ne pas oublier d'agiter le contenant d'engrais liquide avec insecticide* avant et pendant l'application, car l'insecticide a tendance à s'accumuler à la surface.

ENGRAIS ORGANIQUE

Engrais d'origine animale ou végétale seulement. Les éléments nutritifs qu'il contient se dégagent progressivement. En l'utilisant, on ne doit pas s'attendre à voir la pelouse verdir du jour au lendemain. Le résultat est lent, mais durable.

C'est le seul engrais à agir également sur la texture du sol. Il est généralement pauvre en éléments fertilisants, mais il a un effet extrêmement positif sur la pelouse.

(Voir aussi *Engrais à base organique*.)

ENGRAIS SOLUBLE

Il contient une forte proportion de nitrate et pas d'azote à dégagement progressif. Pour ces raisons, ce type d'engrais est à éviter. Son effet est trop rapide et trop peu durable. (Voir *Azote*.)

ÉPANDEUR D'ENGRAIS

Nettoyez cet accessoire après chaque application d'engrais. Même s'il est fait de plastique, certaines pièces mobiles en aluminium se détériorent au contact de l'engrais.

Graissez les rouages même s'ils sont de plastique. L'engrais granulaire* est souvent très abrasif en raison des fines particules qui sont présentes.

ÉPERVIÈRE

Mauvaise herbe à fleurs orangées, parfois jaunes, groupées à l'extrémité d'une tige poilue dépourvue de feuilles. Ces dernières, groupées en rosette à la base, sont également poilues. La présence de l'épervière indique que le sol est acide. Si vous en décelez sur la pelouse, il est impérieux de faire une analyse de sol pour en rectifier le pH*.

Il peut être plus difficile de traiter ces plantes avec de l'herbicide, parce que les poils des feuilles forment une carapace contre le produit. Ajoutez quelques gouttes de savon pour faire pénétrer le produit entre les poils.

(Voir aussi *Herbicide*, *Savon*.)

EXCRÉMENTS VERDÂTRES

Les tas d'excréments verdâtres à proximité des petits trous faits dans le chaume indiquent que votre pelouse est attaquée par la pyrale des prés.

(Voir *Pyrale des prés.*)

FER

Le fer agit directement sur la chlorophylle du gazon et produit une couleur vert foncé en quelques heures.

Sous forme de *chélate liquide,* le fer est utilisé par les compagnies qui fertilisent nos pelouses et il permet de réduire les doses d'azote*. La pelouse est verte mais elle ne pousse pas plus que la normale.

Cent millilitres (100 ml [3 oz]/100 m^2 [120 v^2]) d'une solution contenant 5 % de fer vous donneront la pelouse la plus verte en ville sans vous rendre esclave de votre tondeuse.

Ce produit est maintenant disponible sous le nom de *chloro* +; il vous enchantera.

L'utilisation du fer permet de réduire les doses d'azote* pour se limiter aux quantités réellement nécessaires à la nutrition de la pelouse, laquelle verra sa résistance aux maladies accrue.

Lorsqu'il est inclus à l'engrais, assurez-vous que le fer est *chelaté*, c'est-à-dire combiné avec de l'acide citrique ou avec de l'EDTA, deux agents chelatants reconnus pour protéger le fer.

S'il n'est pas combiné avec ces produits, il est présent sous forme de sulphate et il tache les patios et les trottoirs. C'est pour cette raison que les engrais granulaires ne contiennent plus de fer. Il se retrouve, par contre, en mélange avec les engrais liquides sous forme de chélate.

FERTILISANT

Voir *Engrais*.

FERTILISATION

La fertilisation consiste à ajouter au sol des éléments nutritifs en vue de le rendre plus fertile.

La fertilisation de la pelouse s'exprime toujours en termes de livres d'azote* par 100 mètres carrés (m^2) [120 verges carrées (v^2)]. Mais les autres éléments doivent également figurer dans la formule. Un bon engrais* doit avoir un ratio variant entre 5-1-2 et 3-1-2. Exemples: 15-3-6, 21-4-6.

Un engrais comme le 28-2-3 ou le 25-2-3 s'éloigne trop des ratios. Il n'apportera pas suffisamment de phosphore* ni de potassium* à la pelouse.

Il existe sur le marché des mélanges d'oligo-éléments* spécialement dosés pour la pelouse. Ces produits permettent de réduire les doses d'engrais tout en aidant la pelouse à maintenir une croissance soutenue.

Une pelouse domestique, surtout si elle contient de la fétuque, donnera un bon rendement avec 1,3 kg (3 lb) d'azote par année par 100 m^2 (120 v^2). Cette quantité est répartie en quatre applications au cours de la saison. (Voir *Programme de fertilisation, Engrais, Azote.*)

FÉTUQUE ÉLEVÉE

La fétuque élevée fait partie de la famille des graminées et sert à la confection de pelouse.

On reconnaît la fétuque élevée à sa tige ronde, à son feuillage plié, tel celui de la fétuque rouge traçante, et à sa croissance en touffes serrées. C'est l'espèce la plus résistante au piétinement et à la chaleur. Elle ne produit malheureusement pas de rhizomes, ce qui l'empêche de donner un gazon dense.

En semis, avec du pâturin du Kentucky, elle forme la pelouse idéale pour les terrains de jeu.

Elle doit composer au moins 70 % du mélange si l'on veut obtenir une couleur uniforme de la pelouse. On ne doit pas tondre ce gazon à moins de 4 cm (1,5 po) si l'on veut lui garder toute sa vigueur.

La fétuque élevée convient parfaitement au semis d'entretien et son utilisation est de plus en plus répandue. Une fois établie, elle procure un gazon solide pour plusieurs années.

Une livre (1 lb [450 g]) de semences contient 230 000 graines qui peuvent germer à 90 %. Un semis pur doit être fait au taux de 2 à 3,5 kg (4,5 à 7 lb) par 100 m^2 (120 v^2).

Le plus gros problème de la fétuque élevée est sa faible tolérance à la moisissure des neiges*. Elle suffoque aussi facilement sous la glace durant l'hiver. Assurez-vous que votre pelouse a un drainage de surface* adéquat pour obtenir un bon succès.

FÉTUQUE ROUGE TRAÇANTE

Cette graminée pousse bien à l'ombre et dans les sols secs et pauvres. Elle produit un gazon fin et uniforme qui pousse bien avec le pâturin du Kentucky*. Durant sa croissance, elle requiert moins d'azote* et moins d'eau que le pâturin du Kentucky.

On la reconnaît à sa feuille pliée sur toute sa longueur, très étroite, presque comme un fil, et à sa tige aplatie. La feuille est plus étroite à sa base, et de couleur plus pâle. Elle résiste bien à l'ombre, et demande une fertilisation modérée, ne dépassant pas 1,3 kg (3 lb) d'azote par année par 100 m^2 (120 v^2).

La fétuque rouge traçante supporte la tonte* de 2,5 à 5 cm (1 à 2 po). C'est la graminée de pelouse la plus difficile à tondre: elle demande des couteaux bien affilés, sinon elle s'effiloche et brunit.

Son feuillage fin et rigide la rend plus résistante au piétinement. Ses rhizomes* courts permettent de former une pelouse assez dense.

Une pelouse de fétuque, exposée au soleil, demande un bon arrosage sans quoi elle jaunit rapidement à l'arrivée des grosses chaleurs. Elle supporte très mal la canicule.

La semence de fétuque pure contient en moyenne 460 000 graines par livre (450 g), qui germent à environ 85 %. Le semis pur doit être fait au taux de 1,5 kg (3-4 lb) par 100 m^2 (120 v^2). Il germe en 10-15 jours.

(Voir aussi *Fétuque élevée*.)

FEUTRAGE

S'il n'est pas contrôlé, le chaume* va en s'épaississant. Il empêche la pénétration de l'eau et de l'air et lorsqu'il atteind une certaine épaisseur, son effet est irrémédiable. Alors, la pelouse étouffe et ne pousse plus; il faut la refaire. C'est ce qu'on appelle le feutrage: le chaume a la même texture que du feutre et une épaisseur de plus de 5 cm (2 po). Il est nécessaire de tout faire pour réduire le chaume, surtout en sols sablonneux.

(Voir *Chaume, Aération.*)

FENOXAPROP ÉTHYLE

Produit herbicide employé dans le contrôle en postémergence* des graminées annuelles.

(Voir *Contrôle des graminées annuelles.*)

FONGICIDE

Pour un contrôle efficace des maladies, on doit appliquer un fongicide avec un volume d'eau assez important pour assurer la meilleure couverture possible du feuillage du gazon, soit de 10 à 25 litres (3 à 7 gal.) d'eau par 100 m^2 (120 v^2).

Pour les fongicides systémiques, il faut au moins 50 litres (11 gal.) d'eau par 100 m^2 (120 v^2) pour une bonne absorption. On doit répéter le traitement au moins deux fois, à 1 ou 2 semaines d'intervalle.

Dans les cas d'infection grave, combinez deux fongicides en alternance pour prévenir le développement de résistance de la part du champignon*. Toujours respecter les directives du fabricant.

Si un chaulage* s'impose, appliquez les fongicides systémiques environ une ou deux semaines avant de mettre la chaux*. Ils seront plus efficaces.

FORFICULE

Voir *Perce-oreille*.

FOURMIS

Une façon simple de détruire un nid de fourmis est de le noyer à l'eau chaude savonneuse. On répète l'opération après quelques jours. Les fourmis seront alors forcées de déménager.

Une application de *chlorpyriphos** les tiendra éloignées un temps mais, une fois l'insecticide pénétré dans le sol, elles réoccuperont le terrain rapidement. On peut également substituer ce produit à l'eau chaude pour détruire un nid.

Le *diazinon** est la solution la plus efficace.

FRAISIER

Voir *Mauvaises herbes difficiles à détruire*.

FUMIER, COMPOST

Produits par excellence pour redonner de la matière organique à la pelouse, on les applique en terreautage ou on les enfouit lors de la confection de la pelouse. Employez de préférence des produits pasteurisés, car le fumier et le compost contiennent beaucoup de graines de mauvaises herbes.

Compostez vos rognures de gazon et les déchets du jardin; c'est une façon économique d'améliorer le sol de votre pelouse.

FUSARIUM

Durant l'été, en période de chaleur et d'humidité intenses accompagnées de sécheresse, des plaques circulaires apparaissent rapidement sur la pelouse aux endroits très exposés au soleil. Ne dépassant guère 25 cm (10 po), elles ont généralement de 15 à 20 cm (6 à 8 po) de diamètre avec une touffe de pelouse non affectée au centre, ce qui leur donne la forme d'un oeil ou d'un beigne.

Quelquefois les plaques sont si nombreuses qu'elles se confondent pour former de grandes surfaces affectées, mais les touffes vertes sont toujours distinctes.

L'herbe morte prend également une couleur havane caractéristique lorsqu'elle est mouillée. C'est une façon certaine de reconnaître la maladie.

Pour prévenir ce problème, tondez la pelouse à une hauteur de 6 ou 7 cm (environ 2,5 po), faites un arrosage à fond au moins une fois par semaine. Les journées très chaudes, arrosez 4 ou 5 minutes au milieu de la journée pour refroidir le sol en surface et le maintenir en deça de 20 °C (68 °F). C'est le facteur déterminant pour le contrôle de la maladie. C'est plus que jamais le moment de mettre en pratique les conseils donnés à la rubrique *Maladie**.

Si un traitement devient nécessaire, choisissez un fongicide* systémique, tel le *bénomyl*, et pratiquez les techniques d'arrosage superficiel décrites plus haut pour une récupération rapide. Tout se joue avec la température du sol.

GLYPHOSATE

Herbicide servant à la réfection de la pelouse par pulvérisation. On peut également l'appliquer directement sur le feuillage à l'aide d'un pinceau, dans certain cas. (Voir badigeonnage.)

GRAMINÉES

Les graminées sont des plantes d'une même famille; les pelouses sont faites à partir d'un mélange de graines de graminées. (Voir *Mélanges typiques de semences à gazon.*)

Les graminées sont en général de bonnes herbes pour la pelouse; elles se reconnaissent à leur tige ronde ou légèrement aplatie, et à leurs feuilles linéaires. Toute plante qui ne présente pas ces deux caractéristiques est à éliminer.

Certaines plantes, tels le carex* et le souchet*, ressemblent aux graminées, mais leur tige est triangulaire. C'est la façon de les reconnaître.

HAUTEUR DE COUPE

Voir *Tonte*.

HERBE À LA PUCE

On reconnaît l'herbe à la puce à ses feuilles dentées, luisantes et à trois divisions. Celle du centre a une queue un peu plus longue que les deux autres.

Puisque cette plante cause une réaction allergique de la peau aussi douloureuse que contagieuse, il est très important de contrôler sa prolifération.

(Voir *Contrôle des mauvaises herbes à feuilles larges*.)

HERBICIDE

L'herbicide tue les mauvaises herbes par contact; il ne prévient pas leur apparition. Il est donc inutile d'en mettre «au cas où».

N'appliquez pas d'herbicide si la température excède 27 °C (80 °F), ou en période de sécheresse.

Il faut également attendre que la température dépasse 12 °C (53 °F) pour détruire les mauvaises herbes à la fin du printemps: il faut qu'elles soient en croissance active pour que le traitement à l'herbicide soit efficace. (Voir aussi *Savon.*)

Il ne faut pas tondre la pelouse durant les deux jours qui suivent un traitement à l'herbicide. On enlèverait alors le feuillage des mauvaises herbes et l'herbicide qui s'y trouve avant qu'il ait eu le temps de descendre aux racines pour tuer la plante.

Il ne faut pas non plus arroser la pelouse à la suite d'un traitement pour ne pas laver le feuillage des mauvaises herbes et réduire ainsi l'absorption du produit.

Si, par accident, vous aspergez une plante utile, arrosez abondamment, pour prévenir tout dégât.

Un arrosage en profondeur, 24 heures avant le traitement, le rend plus efficace. Si les mauvaises herbes manquent d'eau, leur croissance est moins active, et elles réagissent moins rapidement à l'herbicide.

Le traitement à l'herbicide effectué lorsque le feuillage est couvert de rosée donne de meilleurs résultats.

Le nouveau semis* de gazon doit avoir été tondu trois fois avant un traitement à l'herbicide. On peut également semer du gazon après le traitement, à la condition de respecter le même délai.

Sur la pelouse à l'ombre, il est préférable de diminuer d'environ 10 ou 15 % la dose d'herbicide recommandée, car la pelouse, en particulier la fétuque*, y est plus sensible. Le résultat sera un peu plus lent, mais tout aussi efficace, car le feuillage des mauvaises herbes y est plus tendre et un peu plus large, donc plus apte à absorber le produit. On évite ainsi le jaunissement de la pelouse, surtout si la température dépasse 27 °C (80 °F).

INSECTICIDE

Deux insecticides sont utilisés en entretien de pelouse.

Le *chlorpyriphos**, qu'on retrouve combiné avec les engrais granulaires* et liquides*, est très efficace contre les insectes évoluant au-dessus du chaume* ou dans sa couche supérieure, tels la punaise des céréales*, la pyrale des prés*, la tétranyque du trèfle*, le ver gris*, les fourmis* et les perce-oreilles*. Par contre, le *chlorpyriphos* a beaucoup de difficulté à descendre dans le chaume et est donc moins efficace contre les insectes qui vivent sous la couche de chaume, tels le ver blanc* et la calandre*. Pour un bon contrôle de ces deux espèces, il faudra doubler la dose et faire suivre le traitement d'un arrosage pour faire descendre le produit.

On comprend pourquoi les engrais insecticides sont peu recommandés contre ces espèces, car il est impossible d'en augmenter la dose. Employez plutôt l'insecticide seul. Comme il reste actif dans le sol pendant plusieurs semaines, il peut donc être appliqué en prévention contre les insectes de surface.

L'autre insecticide utilisé pour la pelouse est le *diazinon**. Il pénètre bien dans le sol et procure un bon contrôle contre les vers blancs et la calandre. Par contre, à l'inverse du *chlorpyriphos*, il a un effet de courte durée et ne peut donc être utilisé en prévention. C'est pourquoi on ne le retrouve jamais en combinaison avec les engrais*.

À l'occasion, on emploiera aussi le *sevin** (*carbaryl*) pour le contrôle des populations excessives de vers de terre*.

Quelques conseils concernant le traitement à l'insecticide:

— Si vous visez les insectes de surface avec un engrais insecticide, un arrosage léger après le traitement augmentera l'efficacité du traitement.

— Pour les insectes qui logent sous la couche de chaume, il faut un bon arrosage pour faire pénétrer le produit.

— Évitez tout contact avec le produit; lavez-vous les mains après le traitement.

— Enlevez toujours les jouets d'enfants et autres objets sur la pelouse avant de la traiter et attendez qu'elle soit sèche avant de marcher dessus.

INSTALLATION D'UN DRAIN

Lorsqu'il est impossible de corriger une pente, l'évacuation du surplus d'eau doit se faire par un système de drainage.

Creusez une tranchée de 30 cm (12 po) de largeur sur 60 cm (24 po) de profondeur.

Assurez-vous d'une pente de un pour cent au moins, de façon à chasser rapidement l'eau vers la rue ou vers tout endroit apte à recevoir ce surplus.

Mettez de 2,5 à 5 cm (1 à 2 po) de gravier au fond de la tranchée et installez un tuyau perforé (drain français), de 7,5 à 10 cm (3 à 4 po) de diamètre sur toute la longueur de la tranchée. Prenez soin d'obstruer l'extrémité supérieure du tuyau et de mettre une grille à l'autre bout s'il mène directement à l'air libre. Recouvrez ce tuyau de 15 à 20 cm (6 à 8 po) de concassé et terminez le remplissage avec du sable ou de la terre de surface.

Pour de grandes surfaces à drainer, l'espace entre les drains doit être de 6 m (20 pi), surtout en sol glaiseux*.

Dans certains cas extrêmes, il se peut que le seul endroit où diriger l'eau de drainage soit le drain de fondation. Assurez-vous que celui-ci est en bon état, sans quoi des problèmes sont à l'horizon.

Dans certains cas, on peut drainer avec une tranchée remplie de gros cailloux. On évite ainsi l'achat de tuyaux coûteux.

Évitez de drainer votre eau chez le voisin.

(Voir *Drainage de surface.*)

IRRIGATION

Voir *Arrosage*.

IVRAIE

Appelée aussi *raygrass*, cette graminée de pelouse a une croissance très rapide et sert de plante «abri»: elle aide en effet l'établissement des autres graminées* à croissance plus lente, comme la fétuque* et le pâturin*.

L'ivraie germe en 5 ou 6 jours, procure de l'ombre et stabilise le sol, ce qui favorise la germination des autres espèces. Pour cette raison également, elle est très utile à la stabilisation des pentes et à la réduction de l'érosion.

L'ivraie est une graminée peu durable (entre 1 et 3 ans), c'est pourquoi on la retrouve toujours mélangée à d'autres graminées.

Elle ne doit jamais dépasser 20 % du mélange: plus il y en a, plus le mélange est de piètre qualité.

Un paquet de 450 g (1 lb) contient 220 000 graines qui germeront à 90 %. Le semis* pur se fait à raison de 1,8 à 3,6 kg (4 à 8 lb) par 100 m^2 (120 v^2).

L'ivraie supporte bien une tonte courte, soit de 3 à 5 cm (1,25 à 2 po).

(Voir aussi *Fertilisation*.)

JAUNISSEMENT

Les principales causes du jaunissement sont:

— lames de tondeuse mal aiguisées;
— manque d'eau, d'engrais;
— excès d'herbicide;
— tonte trop rase;

— pH incorrect;
— insectes (punaise des céréales);
— compaction du sol;
— carence en potassium;
— carence en fer.

Référez-vous aux rubriques concernant chacun de ces problèmes pour connaître les corrections à apporter.

JUILLET

Tondez le gazon à 7 cm (2,75 po) de hauteur afin de protéger la pelouse de la chaleur et du soleil. Surveillez l'arrosage; pour maintenir la pelouse en bon état, il faut 5 cm (2 po) d'eau par semaine, s'il ne pleut pas. (Voir *Arrosage*.)

Attention à la punaise des céréales*. Le jaunissement de la pelouse n'est peut-être pas dû à la sécheresse mais plutôt à ce petit insecte dévastateur. Pour prévenir un tel problème, appliquez sur votre pelouse un traitement au *chlorpyriphos**. Si les punaises ont déjà fait acte de présence, utilisez plutôt du *diazinon**. (Voir *Punaise des céréales*.)

C'est le temps de la fertilisation d'été. Au début de juillet, utilisez une formule à forte teneur en azote* à dégagement lent et ne dépassez pas 0,4 kg (0,8 lb) d'azote par 100 m^2 (120 v^2).

(Voir *Programme de fertilisation, Azote*.)

JUIN

À cette période de l'année, la tonte* du gazon peut être assez courte, soit à environ 5 cm (2 po). Toutefois, il faut monter graduellement la hauteur avec l'arrivée des grandes chaleurs pour atteindre 7 cm (2,75 po). N'oubliez pas que la pelouse a besoin d'eau.

C'est la saison des mauvaises herbes. Surveillez l'oxalide* qui germe généralement en grand nombre vers la fin du mois. Détruisez-la dès que possible, si les chaleurs ne sont pas arrivées.

Le ver blanc*, quoique plus fréquent en septembre, peut faire des ravages à cette période. Il est à surveiller ainsi que la calandre* dont l'adulte perfore le feuillage du gazon de rangées de trous distincts. Référez-vous aux rubriques qui les concernent pour un bon contrôle.

KELTHANE (dicofol)

Produit pesticide employé pour combattre les infestations de tétranyques du trèfle.

LIERRE TERRESTRE

Voir *Mauvaises herbes difficiles à détruire*.

LIGULE

La ligule est une languette située à la face supérieure des feuilles de certaines plantes, dont le pâturin annuel*.

LIMACE

De plus en plus, ce mollusque devient un problème sur les pelouses surtout au cours des années pluvieuses. Les limaces aiment l'humidité et l'utilisation d'un couvre-sol inerte les favorise en leur offrant un abri le jour. En plus d'être répugnantes pour bon nombre de personnes, elles mangent la pelouse et les autres plantes et peuvent ainsi causer des dégâts importants.

On utilise des appâts à limaces, qu'il faut remplacer souvent car la pluie les détruit.

En cas d'infestation grave, un traitement au *sevin** ou au *chlorothalonil** est efficace. Traitez de préférence le soir vers 7 heures, si possible après une pluie ou un arrosage copieux pour s'assurer que les limaces sortent de leur cachette.

Les appâts à la bière sont efficaces mais plus utiles dans le jardin. Mettez de la bière dans un contenant ou un couvercle de pot que vous placez dans le jardin; elles iront s'y noyer.

MAGNÉSIUM

La pelouse raffole du magnésium et verdit très rapidement par suite d'une application d'engrais en contenant. Plusieurs engrais granulaires en contiennent jusqu'à 1,2 % et misent sur ce stratagème pour accélérer le verdissement.

Il faut éviter d'appliquer systématiquement cet élément, surtout en sol lourd, car un excès aura pour effet de bloquer l'absorption de potassium*. En effet, ces deux éléments, ainsi que le calcium, doivent être en équilibre dans le sol. L'excès de l'un de ceux-ci a pour effet de bloquer l'absorption des autres. Résultat: une carence qui bloque la croissance de la plante. Ainsi, un excès de magnésium entraîne une carence en potassium: la plante ne pousse plus et ne répond plus à la fertilisation normale.

Le chaulage (application de chaux) fournit habituellement suffisamment de magnésium pour combler les besoins de la pelouse.

MAI

Avant la mi-mai, il faut traiter les graminées annuelles (telle la digitaire), avant qu'elles ne germent. (Voir *Contrôle des graminées annuelles*.)

C'est également le début de la saison des pissenlits. Appliquez le traitement proposé à la rubrique «*Contrôle des mauvaises herbes à feuilles larges*». Il faut que la température moyenne dépasse 12 °C (53 °F) pour que le traitement soit vraiment efficace.

Le début du mois constitue le temps idéal pour déchaumer sans abîmer le gazon. Puisque ce dernier est en croissance active, les blessures causées par la machine se cicatriseront rapidement et ne laisseront pas de chances aux maladies d'attaquer la pelouse. (Voir *Déchaumeuse*.)

MALADIES

Plusieurs maladies peuvent affecter la pelouse. Lorsqu'on applique les techniques préventives, il est rarement nécessaire d'avoir recours aux fongicides*.

Arrosez de préférence le matin, et en profondeur.

Maintenez une bonne fertilisation, sans excès. (Voir *Fer, Fertilisation, Oligo-éléments*.)

Tondez régulièrement et à la bonne hauteur, selon la saison.

Ne tondez pas une pelouse humide.

Luttez contre l'accumulation du chaume* par l'aération* et le terreautage*.

Maintenez le pH* entre 6,5 et 7,0 par des applications de chaux ou de sulphates, selon le cas. (Voir *Chaulage*.)

Pratiquez un semis* d'entretien tous les 3 ou 4 ans.

Appliquez les techniques préventives propres à chaque maladie selon qu'elles sont fréquentes ou non dans votre région. Consultez les rubriques concernant chaque maladie pour les trucs particuliers.

Évitez de travailler mécaniquement la pelouse (aération, déchaumage, terreautage) si elle n'est pas en croissance active.

À l'ombre, utilisez des espèces de gazons qui tolèrent ces conditions de culture, fertilisez légèrement moins qu'au soleil, en diminuant la dose de 15 à 20 %. Ébranchez les arbres pour augmenter la pénétration de la lumière et permettre une meilleure circulation de l'air au niveau de la pelouse.

Si, toutefois, un contrôle chimique devenait nécessaire, on peut se procurer plusieurs fongicides pour résoudre le problème.

Consultez votre centre de jardinage local pour connaître le produit qui contrôlera le mieux la situation. Rappelez-vous cependant que, pour un contrôle efficace de la maladie, il est nécessaire de faire plus d'un traitement, même si la maladie semble avoir disparu. Il s'agit souvent d'une rémission temporaire due à des changements de conditions climatiques défavorables à la maladie. Plusieurs maladies demandent l'utilisation d'au moins deux fongicides en alternance pour obtenir un bon contrôle.

(Voir *Fongicide*.)

MAUVAISES HERBES

Mis à part les plantes qui provoquent des allergies ou des démangeaisons, il n'existe pas de mauvaises herbes comme telles. On appelle généralement «mauvaise herbe» la plante qui pousse ailleurs que là où l'on souhaite sa présence.

Dans votre pelouse, les «mauvaises herbes» luttent avec votre gazon pour l'eau, les éléments nutritifs, la lumière et l'espace, ce qui entraîne une réduction de la croissance du gazon.

Les mauvaises herbes ont un point de croissance près de la surface du sol; elles peuvent régénérer les parties perdues (leurs racines produisent de nouvelles tiges); elles se propagent par les racines ou les tiges souterraines même si la tonte empêche leur germination.

Les graines enterrées sont en dormance et peuvent conserver leur pouvoir de germination de 20 à 50 ans.

MAUVAISES HERBES DIFFICILES À DÉTRUIRE

Les mauvaises herbes à feuillage poilu (fraisier*) ou ciré (lierre terrestre*) sont plus faciles à détruire si l'on ajoute du savon à l'herbicide. (Voir *Savon*.)

Les mauvaises herbes rampantes présentent souvent un problème quand on veut les détruire près des clôtures, car la racine se trouve chez le voisin, et on ne traite alors qu'une partie du feuillage. Agissez de concert avec le voisin pour appliquer un traitement des deux côtés de la clôture, si la chose est possible.

Certaines espèces, comme la violette sauvage, sont assez résistantes à l'herbicide. En corrigeant le pH du sol, ces espèces seront plus faciles à contrôler.

MÉLANGE OMBRE

Pâturin	40 %
Fétuque rouge	60 %

Taux: 1,36 kg/100 m^2 (3 lb/120 v^2)

MÉLANGE POUR PELOUSE TEMPORAIRE

Ivraie (*raygrass*)	100 %

Taux: 2,27 kg/100 m^2 (5 lb/120 v^2)

ou Avoine	100 %

Taux: 2,27 kg/100 m^2 (5 lb/120 v^2)

MÉLANGE POUR TERRAIN DE JEU

Fétuque élevée	80 %
Pâturin	20 %

Taux: 2,27 kg/100 m^2 (5 lb/120 v^2)

MÉLANGE SOLEIL

Pâturin	55 %
Fétuque rouge traçante	40 %
Ivraie (raygrass)	5 %

Taux: 0,9 kg/100 m^2 (2 lb/120 v^2)

MÉLANGE TOUT USAGE

Pâturin du Kentucky	40 %
Fétuque rouge traçante	40 %
Ivraie (*raygrass*)	20 %

Taux: 1,36 kg/100 m^2 (3 lb/120 v^2)

MÉLANGES TYPIQUES DE SEMENCES À GAZON

Il existe sur le marché plusieurs mélanges de semences à gazon adaptés à diverses conditions.

(Voir *Mélange tout usage*, *Mélange soleil*, *Mélange ombre*, *Mélange pour terrain de jeu*, *Mélange pour pelouse temporaire*.)

Ces mélanges typiques servent d'exemples. Toute combinaison s'en rapprochant peut être utilisée pour les mêmes besoins. Assurez-vous de toujours acheter de la semence de qualité (Canada n° 1).

MÉTHODE DE CONTRÔLE DES MAUVAISES HERBES

La meilleure façon de contrôler les mauvaises herbes consiste à implanter une pelouse dense, en croissance active, à laquelle on fournira une tonte, une fertilisation et un drainage adéquats.

(Voir aussi *Contrôle des graminées annuelles*, *Contrôle des mauvaises herbes à feuilles larges* et *Mauvaises herbes difficiles à détruire*.)

MIL

Cette graminée est parfaite pour le pâturage. Elle a déjà été très utilisée pour la confection de pelouses et, malheureusement, on la rencontre encore dans les mélanges bas de gamme.

Elle supporte mal d'être tondue à moins de 5 cm (2 po) et s'en remet difficilement. Son usage devrait se limiter au bord des routes.

MILDIOU

Maladie dont l'indice principal est une accumulation de poudre blanche semblable à du sel ou à de la farine sur le feuillage, surtout à l'ombre. C'est, en fait, un champignon qui survient lorsque la pelouse est soumise à un excès d'humidité.

Arrosez de préférence le matin pour abaisser l'humidité du feuillage qui s'accumule pendant la nuit.

Coupez quelques branches basses aux arbres pour augmenter la circulation de l'air et la pénétration de la lumière au niveau de la pelouse.

Réduisez également le niveau d'azote* qui produit une croissance excessive du feuillage et le rend plus sensible à cette maladie, ou optez pour des engrais dont une bonne partie de l'azote est à dégagement lent.

Semez des fétuques* qui sont mieux adaptées à l'ombre et qui auront une meilleure résistance à la maladie. Enfin, le fait de tondre la pelouse plus long (à 6 ou 7 cm [de 2,3 à 2,7 po]) aidera à la rendre plus résistante en période propice à la maladie.

Surtout, évitez de poser à l'ombre de la tourbe composée de pâturin* *Mérion* pur, car cette plante est très sensible au mildiou.

Si un contrôle s'impose, traitez la pelouse avec un fongicide*, tel le *bénomyl** ou à base de cuivre ou de soufre. Répétez au besoin, mais rappelez-vous que la principale cause est l'excès d'humidité ainsi que la faible luminosité.

MOIS D'HIVER

Évitez de piétiner la neige qui couvre la pelouse. L'utilisation de la motoneige, sur cette surface est, bien sûr, à proscrire. La neige très compacte a le même effet que la glace et elle fait suffoquer la pelouse.

Installez des clôtures pour retenir la neige et assurer une bonne couverture de la pelouse. Ceci la protégera des températures extrêmes et des vents desséchants.

MOISISSURE DES NEIGES

Cette maladie survient lorsque la neige permanente arrive avant que le sol ne soit gelé. Cela crée un environnement humide très favorable au fongus (sorte de champignon) et la pelouse se retrouve dans un état lamentable au printemps avec des plaques circulaires blanchâtres ou légèrement rosées.

Pour réduire les risques de cette maladie, tondez la pelouse court à la fin de l'automne.

N'utilisez pas d'engrais riche en azote, à moins qu'il ne soit à dégagement lent, ou appliquez-le au moins six semaines avant que la pelouse n'entre en dormance pour l'hiver.

Pour les pelouses sujettes à cette maladie, les points suivants peuvent faire la différence:

Au printemps, favorisez une fonte rapide de la neige en l'enlevant ou en y appliquant une fine couche de charbon ou de cendre pour accélérer sa fonte.

Grattez les endroits affectés aussitôt qu'ils émergent au printemps afin d'aider à assécher rapidement la pelouse.

Fertilisez légèrement pour encourager une repousse rapide.

À l'automne, appliquez un fongicide le plus tard possible, en prévention.

(Voir aussi *Fertilisation, Fongicide.*)

MOISISSURE VISQUEUSE

Elle se reconnaît à une masse de petites boules collées au feuillage, de couleur gris-bleu à noire, et formant de petites taches noires de quelques centimètres de diamètre sur la pelouse.

Cette maladie se maîtrise facilement; servez-vous d'un jet d'eau puissant pour laver le feuillage atteint ou brossez-le à l'aide d'un râteau à feuilles.

Il est inutile d'employer un fongicide*.

MOUFFETTE

Bloquez tous les accès menant sous le cabanon. Vérifiez l'état de la clôture qui entoure la propriété et détruisez les vers blancs*, que les mouffettes viennent chercher dans votre pelouse. Utilisez un insecticide, tel le *diazinon**.

Si une mouffette s'est installée sous le cabanon, saupoudrez de la farine à l'entrée du terrier de façon à repérer les traces de la bête indiquant qu'elle est sortie, généralement à la tombée du jour. Dès son départ, obstruez solidement le trou; elle sera forcée d'aller ailleurs. N'oubliez pas de laisser une issue pour qu'elle puisse également sortir de la cour...

Si, par malheur, votre chien, votre chat ou vous-même êtes arrosé, la façon idéale de neutraliser ce «parfum» est de laver à fond en ajoutant à l'eau du bain 15 ml (1 c. à soupe comble) de *NEUTROLEUM-ALPHA**, disponible dans les bonnes pharmacies.

Pour laver les murs, les planchers, etc. qui ont été arrosés, diluez 60 ml (2 oz) du produit dans 4,5 l (1 gal) d'eau, avec quelques gouttes de savon comme agent mouillant. Vous pouvez également pulvériser cette solution sur le sol pour neutraliser l'odeur.

À défaut de ce produit, lavez avec une solution composée d'une partie d'eau de Javel ou de vinaigre dans 10 parties d'eau.

La seule utilité du jus de tomate est la consolation qu'il offre lorsqu'on le boit...

MOUSSE DE TOURBE

Un excellent produit pour augmenter le taux de matières organiques du sol. Avant de semer ou de tourber, incorporez-le aux 10 à 15 premiers cm (4 à 6 po) de sol, à raison de trois ou quatre ballots de 0,17 m^3 (6 pi^3) par 100 m^2 (120 v^2).

MOUSSE ET LICHEN

Leur présence indique que votre sol souffre d'un grave problème d'asphyxie. Il ne suffit pas de les enlever. En fait, cela indique que votre sol est trop compact et mal drainé. Il est probablement aussi très pauvre et acide. Corrigez ces problèmes et la mousse ne réapparaîtra pas.

Pour les détruire, utilisez du sulfate de cuivre à raison de 150 g dans 15 litres d'eau pour 100 m^2 (5,3 oz dans 3 gallons d'eau pour 120 v^2).

MULOT

Les mulots passent la belle saison dans des terriers, qu'ils quittent à la fin de l'automne pour se confectionner un nid d'herbe sèche. Ils affectionnent les terrains peu ou mal entretenus, où l'herbe est longue, et causent d'importants dommages à la pelouse, aux arbres et aux arbustes. (Voir *Tonte*.)

La dernière tonte de la saison doit être la plus courte possible. L'emploi de rodenticide* est très efficace pour réduire les populations de mulots. N'attendez pas la fin de l'automne pour y recourir, surtout si ces rongeurs sont abondants. Puisque ces produits sont également toxiques pour les animaux domestiques, veillez à les placer hors de leur portée.

NETTOYAGE DU PRINTEMPS

Dès que la pelouse s'est asséchée, enlevez les débris de toutes sortes et l'herbe morte, pour lui permettre de mieux respirer et de reverdir plus rapidement.

NEUTROLEUM-ALPHA

Produit utilisé pour neutraliser l'odeur de l'urine de la mouffette. On peut se le procurer dans toutes les bonnes pharmacies. (Voir aussi *Mouffette*.)

NOVEMBRE

C'est encore le temps pour l'application de chaux*, si besoin il y a.

Dès la première neige, traitez votre pelouse avec un fongicide* si elle est sujette à la moisissure des neiges*.

C'est également la période pour un semis dormant. On sème sur la première neige sur un sol qui a été préparé comme pour un semis normal. (Référez-vous à la rubrique *Semis* pour plus de détails.) Les graines ne germeront que le printemps suivant. Cette méthode est presque aussi efficace que les semis en août ou septembre et a l'avantage de demander moins de temps pour l'arrosage. Ne semez pas trop tôt, vous risqueriez de manquer votre coup.

OCTOBRE

La dernière tonte de la saison doit être courte, soit à 4 à 5 cm (1,5 à 2 po) pour prévenir les dégâts faits par les mulots. Ceci facilitera le nettoyage du printemps.

C'est le temps idéal pour le chaulage*.

OISEAUX

Une quantité anormalement élevée d'oiseaux sur la pelouse, surtout le matin ou le soir, indique que votre pelouse est infestée de punaises des céréales ou de calandres. Un traitement à l'insecticide s'impose.

(Voir *Punaises des céréales, Calandres* et *Insecticide*.)

OLIGO-ÉLÉMENTS

Les oligo-éléments sont des éléments chimiques présents en très petites quantités dans le sol mais essentiels pour la végétation.

Le chaulage* fournit au sol du calcium et du magnésium*. Les engrais fournissent l'azote*, le phosphore*, le potassium* et, à l'occasion, du fer* et du magnésium.

La pelouse a également besoin d'autres oligo-éléments, soit le cuivre, le zinc, le manganèse, le bore et le molybdène.

Le gazon doit les prendre à même le sol ou dans la matière organique qu'on lui apporte à l'occasion.

L'absorption de ces éléments est également influencée par le pH* du sol; s'il est trop acide ou trop alcalin, la pelouse est incapable d'absorber plusieurs de ces éléments.

Certains éléments, tels le potassium, le calcium et le magnésium, sont en équilibre; un excès de l'un d'eux brise l'équilibre et cause une carence d'un des éléments. La plante est alors incapable de l'absorber aussi longtemps que le déséquilibre existe.

On peut rétablir l'équilibre en fournissant de la matière organique (fumier, compost), mais il existe maintenant des solutions d'oligo-éléments liquides disponibles pour la pelouse appelées *revitalisants*. Ainsi l'absorption des éléments se fait en partie directement par le feuillage.

Dans ce produit, les éléments sont chelatés, ce qui signifie que, même dans le sol, ils seront protégés contre les conditions adverses et seront absorbés par la plante.

Utilisez ces solutions, combinées avec une source de phosphore, lors des semis* ou de la pose de la tourbe* pour garantir une reprise rapide.

Elles s'appliquent également sur les vieilles pelouses pour leur donner une nouvelle vigueur. Cette application se fait de préférence à la fin du printemps, pour un résultat optimal. Vous serez surpris de la réponse de la pelouse à une fertilisation* normale consécutive à un traitement de revitalisant.

On traite ainsi également la pelouse qui a subi un stress majeur: insectes, maladie, etc., pour favoriser une récupération rapide et une nouvelle repousse de la pelouse.

Ces produits ont également l'avantage d'agir directement sur la coloration de la pelouse, ce qui permet de réduire les doses d'azote* et évite de trop stimuler la pelouse. On n'a pas à tondre la pelouse plus souvent.

OMBRE

Une pelouse à l'ombre est soumise à un taux d'humidité souvent très élevé et à une mauvaise aération* ou circulation de l'air au niveau du sol.

Lors de l'établissement d'une pelouse sur un terrain fortement boisé, il est préférable d'opter pour un semis* plutôt que pour la pose de tourbe*. Cette dernière ne résistera pas bien longtemps et se dégradera rapidement puisqu'elle se compose essentiellement de pâturin* qui supporte mal ces conditions. La recette du succès peut s'énoncer ainsi:

— Choisissez de préférence un mélange contenant au minimum 65 % de fétuque rouge*.

— Si possible, émondez un peu les arbres pour augmenter la pénétration de la lumière.

— Assurez-vous que le drainage de surface* est adéquat.

— Arrosez de préférence le matin pour éviter d'avoir un feuillage humide pendant toute la nuit.

— Implantez un couvre-sol vivace aux endroits vraiment trop sombres, où la lumière est coupée à plus de 50 %.

— Réduisez les doses d'engrais à 340 g (0,75 lb) d'azote* par 100 m^2 (120 v^2), ou répartissez la dose annuelle de façon que le total des quatre applications ne dépasse pas 1,35 kg (3 lb) d'azote par 100 m^2 (120 v^2). Les fétuques exigent moins d'engrais que les pâturins.

OXALIDE

L'oxalide (ou oxalis) est une petite plante vivace dont le feuillage ressemble à celui du trèfle et dont chacune des trois folioles est en forme de coeur. Vert pâle avec de petites fleurs jaunes, elle se reconnaît facilement sur la pelouse à partir de juillet.

Pour mieux contrôler la propagation de cette plante, fixez à la tondeuse un sac pour ramasser l'herbe là où il y a beaucoup d'oxalide. Les tiges coupées ont, en effet, la capacité de s'enraciner de nouveau.

Ajoutez quelques gouttes de savon* à l'herbicide pour une meilleure couverture.

N'attendez pas à l'automne pour contrôler l'oxalide, car elle se ressème facilement et sa réserve de graines dans le sol la fera réapparaître l'été suivant en quantité tout aussi importante.

PATINOIRE

La patinoire est très agréable pour les enfants, mais l'est moins pour la pelouse. La glace étouffe le gazon qui se retrouvera dans un piètre état au printemps. Bref, à éviter absolument!

PÂTURIN ANNUEL

Le pâturin annuel est une graminée utilisée pour la confection de certains gazons, mais il est indésirable pour les pelouses domestiques.

On le reconnaît à son feuillage fin et plus pâle que le pâturin du Kentucky et à son système racinaire superficiel. Le meilleur critère d'identification est la présence d'une ligule* très prononcée, jusqu'à 3 mm (0,12 po) de long, et membraneuse.

Cette graminée doit être éliminée à cause de sa faible résistance aux conditions climatiques extrêmes et surtout à cause de sa couleur plus pâle qui jure sur une belle pelouse.

De plus, le pâturin annuel ne possède pas de stolons*, ce qui lui confère une moins bonne capacité de fixation au sol et une tendance à pousser en touffes facilement arrachables.

Cette graminée se ressème jusqu'à huit fois par saison et elle peut envahir rapidement les zones dégarnies. Elle supporte une tonte très basse et peut donc envahir des pelouses tondues très courtes.

Pour la contrôler, il faut employer les mêmes techniques que pour les autres graminées annuelles. (Voir *Contrôle des graminées annuelles*.) On doit éviter les engrais* trop riches en phosphore*, surtout au printemps, sous peine de stimuler sa progression dans la pelouse.

À l'inverse des autres graminées annuelles, le pâturin meurt à l'automne, mais il est capable de produire des graines deux mois après sa propre germination.

Pour éviter la formation de plaques concentrées sur la pelouse, le semis d'entretien* reste encore la meilleure solution.

PÂTURIN DU KENTUCKY

Le pâturin du Kentucky est l'espèce la plus employée dans la préparation d'une pelouse. Il forme de nombreux rhizomes* qui envahissent rapidement le sol pour former une pelouse solide. C'est ce qui permet de le cultiver pour le vendre en rouleaux.

Cette espèce entre en dormance l'été lorsque la température devient trop chaude. Ce phénomène lui procure une résistance particulièrement intéressante pour les pelouses exposées au soleil.

Le pâturin du Kentucky préfère le soleil et supporte mal l'ombre où il devient très sensible au mildiou*.

Fertilisez-le à raison de 1 à 3 kg (2,2 à 6,6 lb) d'azote* par 100 m^2 (120 v^2) par an, réparti en plusieurs applications.

Ne tondez pas à moins de 4 cm (1,5 po); augmentez à 6 ou 7 cm (2,3 à 2,7 po) avec la chaleur. Cette espèce se remet difficilement d'une tonte trop courte. Elle a également besoin d'arrosages copieux pour bien s'épanouir.

On ne doit considérer le pâturin du Kentucky que pour la confection de pelouse avec un niveau d'entretien de moyen à élevé.

Il devient rapidement sensible à la tache foliaire*, au mildiou, à la tache en dollar* et à la plaque* brune si le niveau d'entretien n'est pas suffisant. Parmi les pâturins, le Mérion est probablement celui qui demande le niveau d'entretien le plus élevé.

Un sac de 450 g (1 lb) contient environ 2 200 000 graines pouvant germer à 80 %. Ceci indique un taux de semis de 450 à 900 g (1 à 2 lb) par 100 m^2 (120 v^2) lors de semis purs.

Étant donné sa susceptibilité à la maladie, il est préférable de le semer en mélange avec la fétuque et d'inclure plusieurs variétés de pâturin dans le mélange. Cela évite de voir la pelouse décimée d'un seul coup à cause d'une maladie ou d'un insecte.

Le pâturin germe et s'installe lentement (entre 15 et 20 jours). Il est préférable de le semer avec une plante abri, telle l'ivraie*, pour augmenter vos chances de succès.

PENTE

Lors de la réalisation de votre pelouse, assurez-vous d'une pente de 1 à 2 %, soit 15,25 cm (6 po) sur 15,25 m (50 pi) de distance, pour permettre un bon drainage de surface*.

PERCE-OREILLE

Connu également sous le nom de forficule, cet insecte nocturne est commun à toute l'Amérique du Nord. Il se cache sous le journal ou sous tout autre objet à la levée du jour. Il est donc facile d'installer des pièges le soir pour que les perce-oreilles s'y regroupent au matin et soient détruits facilement. Ces pièges consistent à mettre des morceaux de carton, de papier journal enroulé ou de bois sur le sol pour faire office de cachette.

Une méthode plus radicale consiste à appliquer un insecticide comme le *chlorpyriphos** ou le *diazinon** sur la pelouse et autour de la maison. Prenez soin de fermer les fenêtres avant le traitement, car les perce-oreilles tenteront de pénétrer à l'intérieur de la maison.

PERFORATION DES FEUILLES

Voir *Calandre*.

PESTICIDE

Ce terme englobe trois grandes catégories de pesticides:

1. Les *herbicides*, qui servent à éliminer les mauvaises herbes.

2. Les *insecticides*, qui servent à contrôler les insectes, les araignées et certains autres invertébrés.

3. Les *fongicides*, que l'on utilise pour contrôler les champignons parasites.

Voici quelques conseils utiles les concernant:

Lisez toujours l'étiquette du produit avant d'en faire usage. Il n'y a pas que la dose qui soit importante. Vous y trouverez également des restrictions et des conseils très importants.

Il n'y a pas de produit miracle qui convient partout et règle tous les problèmes.

Identifiez clairement le problème avant de pulvériser quoi que ce soit.

Les poudres sont plus dangereuses à manipuler que les liquides à cause de leur tendance à rester en suspension dans l'air lors de la manipulation du concentré.

Lavez-vous toujours les mains après avoir manipulé de tels produits.

Lors d'un traitement préventif, assurez-vous de choisir le bon produit et de l'appliquer au bon moment, sinon ce sera inutile.

Une plante en santé, qui bénéficie d'un bon programme d'entretien et de mesures préventives, n'aura probablement pas besoin d'application de pesticides en saison propice aux maladies ou aux insectes.

N'appliquez pas de pesticides par temps très chaud ou très venteux. Il est préférable de traiter le matin ou le soir, pour de meilleurs résultats.

Votre voisin n'a pas toujours les connaissances requises pour vous conseiller sur vos problèmes de pelouse. Écoutez plutôt votre pépiniériste ou des spécialistes attachés au Jardin botanique de Montréal ou encore les préposés au téléphone vert [(418) 659-6944 ou 1 800 463-6944]. Les recettes de grand-mère ne mènent nulle part.

PETITS POINTS JAUNÂTRES

Si vous décelez des petits points jaunâtres sur le feuillage de votre gazon, c'est probablement parce que la tétranyque du trèfle, genre d'araignée, y est présente. Référez-vous à la rubrique «*Tétranyque du trèfle*», pour connaître les moyens de vous en débarrasser.

(Voir aussi *Plaques*.)

pH

Le pH est la mesure du taux d'acidité du sol, sur une échelle qui va de 0 à 14. Si le taux de pH de votre sol est inférieur à 7, votre terre est acide. Au-dessus de 7, elle est alcaline.

La pelouse préfère des sols légèrement acides, de 6,5 à 7, pour s'épanouir.

On devrait faire analyser l'acidité du sol tous les deux ans.

Si le taux de pH est inférieur à 6,2, il faut appliquer de la chaux*.

Si le taux de pH dépasse 7,5, utilisez des sulphates* pour l'abaisser, car plusieurs oligo-éléments* et l'azote* ne sont plus assimilables par le sol à ce niveau.

Sur le marché, on trouve des *kits* de pH de toutes sortes. Leur précision est souvent très faible, et il ne faut surtout pas s'y fier pour déterminer la quantité de chaux que l'on devra appliquer. Ces trousses ne vous servent qu'à titre indicatif.

Il est préférable de faire analyser un échantillon de votre sol par un laboratoire sérieux. Votre centre de jardinage peut probablement vous fournir ce service.

PHOSPHORE

Élément essentiel au développement des racines et de la floraison, on trouve généralement le phospore en bonne quantité dans les sols glaiseux*.

Les sols sablonneux* sont assez pauvres en phosphore.

Une coutume veut qu'on applique des engrais* riches en phosphore, tel le gazonneur, au printemps pour aider le système racinaire de la pelouse. Cette pratique favorise plutôt le développement du pâturin annuel qui pourra ainsi envahir de grandes surfaces de la pelouse. À éviter à tout prix.

(Voir *Pâturin annuel* et *Engrais gazonneur.*)

PIED-DE-COQ

Graminée annuelle commune sur certaines pelouses, le pied-de-coq forme de grosses touffes qui donnent du mal à la tondeuse.

À la base, la tige est presque aussi grosse que le petit doigt et de couleur violacée.

Le pied-de-coq se contrôle de la même façon que les autres graminées annuelles.

(Voir *Contrôles des graminées annuelles*.)

PLAQUES

Elles peuvent se définir comme étant une zone de pelouse montrant des signes évidents d'altération. Une observation générale peut nous en dire long sur le problème.

Des *plaques de forme circulaire*, de dimensions variables et nombreuses indiquent une maladie. S'il n'y en a que quelques-unes, il s'agit probablement d'urine de chien, d'engrais échappé ou d'essence répandue sur la pelouse en remplissant le réservoir de la tondeuse.

Une *forme géométrique particulière* (carré, triangle, etc.) indique qu'un objet chaud ou toxique a été déposé sur la pelouse.

Une *forme non définie* indique la présence d'insectes.

Une *alternance de bandes linéaires, vert pâle et vert foncé*, est souvent le résultat d'une application inadéquate d'engrais, lorsque les lignes d'application se recoupent trop ou, au contraire, sont trop espacées.

Une *ligne très étroite, foncée en période pluvieuse ou pâle lors de sécheresse*, indique la présence d'un drain.

La *pelouse au complet* est-elle affectée? La cause en est peut-être un excès d'herbicide, une tondeuse mal aiguisée ou simplement un manque d'eau. Une infestation grave de punaises des céréales produit le même effet.

Si la *plaque réapparaît chaque année* à la même place pendant les grosses chaleurs, cela signifie qu'un objet y est enterré, une roche, un ancien trottoir, etc.

Une *zone toujours plus foncée* que le reste indique la présence d'une ancienne platebande ou d'un potager. Il y a davantage de bonne terre en profondeur à cet endroit.

La *pelouse* semble *bigarrée*, le vert n'est pas uniforme. Les zones plus pâles indiquent que le mélange des espèces de graminées qui composent la pelouse n'est plus uniforme. Un semis d'entretien prévient ou règle ce problème.

Les *plaques vert pâle* peuvent également se composer de pâturin annuel*, de chiendent*, de digitaire* ou d'agrostide*. Ces espèces sont indésirables sur la pelouse et il faut être en mesure de les reconnaître rapidement.

Certaines maladies laissent une *coloration particulièrement évidente* lorsque la pelouse est humide ou mouillée: blanc-rosé pour la moisissure des neiges*, havane pour le fusarium*, noir pour la moisissure visqueuse*, cercle plus foncé pour le cercle de fée*, poudre blanche pour le mildiou* et orange-rouille pour la rouille*.

POSTÉMERGENCE

Après la germination.

POTASSIUM

On attribue généralement comme rôle au potassium le maintien de la santé générale de la plante. Une fertilisation* riche en potassium a un effet bénéfique pour la prévention de maladies tels le fusarium*, la tache en dollar* et la plaque* brune.

Un rôle moins connu du potassium, mais encore plus important, est celui de modérateur de l'azote*.

Une formule riche en azote doit également l'être en potassium pour prévenir la formation d'un feuillage tendre, plus susceptible aux maladies. Le ratio azote/potassium ne devrait jamais dépasser 5 parties pour une.

Si une analyse de sol révèle une carence en potassium, appliquez un engrais à légumes de type 5-10-15 ou 6-12-12 à raison de 2 kg (4,5 lb) par 100 m^2 (120 v^2), et répétez un mois plus tard. Il est inutile d'en mettre plus car le potassium est facilement lessivé; ce serait du gaspillage.

Les sols sablonneux* sont naturellement pauvres en potassium et on doit choisir des formules plus riches en cet élément.

Il est préférable de faire plusieurs applications de potassium plutôt qu'une seule plus massive car le lessivage est important dans les sols de ce type.

POUSSIÈRE ROUILLE

Si vous décelez de la poussière rouille sur le feuillage de votre pelouse, c'est que votre gazon est atteint de la rouille, maladie qui attaque particulièrement le pâturin Mérion*. Référez-vous aux rubriques «*Rouille*» et «*Mildiou*» pour en connaître le remède.

PRÉÉMERGENCE

Avant la germination.

PRÊLE

La prêle pousse en sol pauvre et acide. Une analyse de sol vous indiquera les corrections à apporter. Bien que difficile à contrôler, cette plante est rarement un problème sur les pelouses. Elle disparaîtra d'elle-même si la pelouse est bien entretenue.

PREMIÈRE TONTE APRÈS LA POSE DE TOURBE

On doit tondre la nouvelle pelouse de tourbe dès que nécessaire, en s'assurant que les couteaux de la tondeuse sont bien affilés. On ne doit pas couper trop court (environ 5 cm — 2 po) pour conserver une certaine fraîcheur aux nouvelles racines.

PREMIÈRE TONTE APRÈS UN SEMIS

La première tonte après un semis se fait dès que la pelouse a atteint entre 5 et 7 cm (de 2 à 2,75 po) de hauteur.

Assurez-vous que la lame de la tondeuse est parfaitement aiguisée, car elle arracherait les jeunes plants au lieu de les couper. Vous devriez tondre à une hauteur de 4 cm (1,5 po).

La plupart des mauvaises herbes qui ont germé avec la pelouse seront tuées par la tonte. Les autres pourront être traitées à l'herbicide, dès que la pelouse aura été tondue trois fois.

PRÉPARATION DU SOL

Avant de semer ou de tourber une première fois, il faut contrôler les mauvaises herbes présentes, surtout les espèces vivaces, car elles réapparaissent au travers de la pelouse.

On traite de préférence au glyphosate* *(round-up)* pour obtenir un contrôle parfait, sans résidus.

Lorsque le feuillage des plantes a jauni, on peut enfouir celles-ci pour créer un apport en matières organiques.

Il est très important de tuer les mauvaises herbes avant de passer le rotoculteur*, sinon on les multiplie: autant de racines coupées, autant de nouvelles plantes.

Il faut également éliminer les roches, les racines et autres déchets.

Il faut s'assurer de niveler le sous-sol avant d'ajouter la couche finale de terre (15 cm — 6 po), pour que celle-ci soit le plus uniforme possible, et pour assurer un drainage* de qualité.

Après cette étape, on ajoute des amendements au sol: chaux* et matières organiques (fumier*, compost*, mousse de tourbe*) et on les incorpore avec le rotoculteur. On ajoute également un engrais d'enracinement, riche en phosphore. (Voir *Engrais gazonneur*.)

On se sert d'une échelle déposée sur le sol pour réaliser le nivelage final et éviter les dépressions où s'accumuleraient l'eau et la glace l'hiver. À ce stade, un arrosage en profondeur permet de vérifier la qualité du drainage et du nivelage.

Si vous devez ajouter plus de 10 cm (4 po) de terre, n'oubliez pas de tasser ce sol pour éviter qu'il ne s'affaisse par endroits. (Voir *Roulage*.)

PRÉPARATION POUR L'HIVER

Ramassez les feuilles mortes et autres débris avant l'hiver.

La dernière tonte devrait être courte, pour prévenir les problèmes d'asphyxie et les dégâts causés par les mulots.

Installez des clôtures à neige aux endroits venteux, pour assurer une bonne couverture de neige; la pelouse reverdira mieux au printemps.

PROGRAMME DE FERTILISATION

Un bon programme de fertilisation doit suivre la croissance de la pelouse.

Au début du printemps, la fertilisation a pour but de faire verdir le gazon. Mettre trop d'engrais stimule le feuillage au détriment des racines qui fonctionnent au ralenti en cette période de l'année, le sol étant trop froid. On ne doit pas mettre plus de 450 g (1 lb) d'azote* par 100 m^2 (120 v^2). (Voir *Fer*.)

À la fin du printemps la croissance est au maximum, et c'est à cette période que la pelouse se prépare à l'été qui approche. C'est le temps de mettre une bonne dose d'engrais* puisque la pelouse est en mesure de le transformer et de le stocker. On applique de 450 à 680 g (1 lb à 1,5 lb) d'azote par 100 m^2 (120 v^2) de préférence des formules à dégagement lent pour protéger contre la brûlure et éviter de trop forcer la pelouse.

À l'été, la pelouse est en dormance et il ne faut pas forcer la dose d'engrais sous peine de la rendre plus sensible. Une dose de 225 à 340 g (½ à ¾ lb) d'azote suffit à la maintenir jusqu'à l'automne, pourvu qu'on emploie un engrais à dégagement lent.

À l'automne, on se prépare en vue de l'hiver. Deux méthodes existent: la fertilisation potassique et la fertilisation azotée.

Pour ce qui est de la fertilisation potassique, des formules comme le 5-10-15 sont basées sur le rôle du potassium* qui est de maintenir la santé générale de la plante. Une bonne initiative, mais un peu tardive. Une plante en santé toute l'année résistera bien à l'hiver de toute façon. On ne dépassera pas toutefois 225 g (½ lb) de potassium par 100 m^2 (120 v^2).

L'autre méthode, la fertilisation azotée, consiste à ajouter un fort pourcentage d'azote à dégagement lent. De récentes recherches ont prouvé que l'azote appliqué tard l'automne stimule les racines et prépare bien la pelouse à son réveil du printemps suivant. On peut ainsi appliquer 450 g (1 lb) d'azote par 100 m^2 (120 v^2).

PULVÉRISATEUR

Un pulvérisateur ayant servi à l'application d'herbicide ne devrait pas être utilisé à d'autres fins sous peine d'endommager les espèces sensibles. Prenez soin de bien l'identifier.

Le calibrage d'un pulvérisateur portatif se fait comme suit:

1- Versez une quantité connue d'eau dans la bonbonne.

2- Pulvérisez une surface connue, soit 10 m x 5 m (11 v x 5,5 v) comme si vous appliquiez un pesticide.

3- Mesurez la quantité d'eau qui reste.

On obtient ainsi le taux d'application du pulvérisateur en litres (pintes) par 100 m^2 (120 v^2) en multipliant par deux la quantité utilisée. Ceci est très important pour l'application de pesticide dont la dose est exprimée en termes de quantité par 100 m^2 (120 v^2).

Pour les systèmes de pulvérisateur au bout du boyau, on calculera plutôt le temps nécessaire pour traiter 100 m^2 (120 v^2) ainsi que le débit en calculant le temps requis pour remplir un contenant de capacité connue. De cette façon on connaît la quantité totale appliquée par 100 m^2 (120 v^2). Il est donc facile de régler ce pulvérisateur pour un certain dosage de pesticide en termes de ml par 100 m^2. La quantité en ml par 100 m^2 divisée par le nombre de litres par 100 m^2 donnera le réglage en ml/litres de l'appareil.

PUNAISE DES CÉRÉALES

La punaise des céréales est un insecte suceur qui pique la plante au niveau de la tige pour en sucer la sève. Le feuillage fane et sèche, mais ne s'enlève pas à la main.

Pour découvrir ces insectes, une observation attentive est nécessaire puisqu'ils sont minuscules et de couleur sombre. Restez calme et immobile en observant le sol entre les brins d'herbe à la limite de la zone endommagée.

Si les punaises des céréales flairent un danger, elles restent immobiles; mais, si tout est calme, leur mouvement les trahira. Soyez patient, vous ne les verrez probablement pas au premier coup d'oeil.

Une autre méthode consiste à enlever les deux extrémités d'une boîte de conserve et d'insérer celle-ci dans le sol d'un mouvement sec, à l'endroit où l'on suspecte la présence de tels insectes. On remplit ensuite d'eau cette piscine improvisée et on brasse le fond avec la main. En peu de temps, tous les insectes présents remonteront à la surface.

On peut aussi faire un traitement au *diazinon** pour se débarrasser de ces punaises. Un insecticide à base de *chlorpyriphos** appliqué au début de juillet prévient facilement ce problème.

PYRALE DES PRÉS

La pyrale des prés est une chenille couverte de points bruns, qui coupe l'herbe au niveau du sol. Elle est active surtout le matin et le soir. Le reste de la journée elle se cache dans le chaume.

Elle trahit sa présence par les trous qu'elle fait dans le chaume et les petits tas d'excréments verdâtres qu'elle laisse à proximité. L'herbe coupée par la chenille se ramasse facilement avec les mains.

L'adulte est un petit papillon qui vole toujours en zig-zag au-dessus de la pelouse, de façon très caractéristique.

Au début des grosses chaleurs, un traitement avec du *chlorpyriphos** assure un bon contrôle.

QUALITÉ DE LA PELOUSE

Certains facteurs agissent de façon déterminante sur la qualité de votre pelouse; ce sont:

le climat; le sous-sol; le type de sol; la dénivellation du sol; le drainage du sol; l'irrigation (arrosage) du sol; l'aération du sol; le chaume; les espèces de graines de gazon (graminées); la fertilisation; la tonte; le piétinement; les mauvaises herbes; les insectes; les maladies.

RÂTEAU

Cet important outil sert à égaliser la terre et à affiner la surface du sol. Choisissez de préférence un râteau à long manche et à dents droites plutôt que recourbées.

RAYGRASS

Voir *Ivraie*.

RÉNOVATION COMPLÈTE DE LA PELOUSE

Dans certains cas, quand la pelouse se compose de moins de 40 % de bonnes espèces de graminées, il est nécessaire de la recommencer. C'est le seul moyen à votre disposition pour détruire le chiendent* par un traitement au *glyphosate**. Il n'y a pas d'autre méthode.

Attendez deux semaines avant de retirer la végétation pour permettre au traitement de faire effet jusqu'au bout des racines.

Vous pouvez ensuite enfouir ces plantes mortes qui constituent une bonne source de matières organiques.

Laissez pousser l'herbe de 7,5 à 10 cm (2,75 à 4 po) avant de procéder à ce traitement. L'absorption sera meilleure et le résultat, garanti.

Une application d'engrais* en faible quantité quelques jours avant d'appliquer l'herbicide* augmente son efficacité.

Profitez-en pour rectifier le drainage*, le pH* et les pentes*. Ajoutez une bonne quantité de matières organiques* et incorporez-les dans les 10 à 15 premiers cm (4 à 6 po) de sol.

L'enlèvement du vieux gazon à l'aide d'un lève-tourbe mécanique, employé par certains paysagistes, n'élimine pas le chiendent* mais le multiplie en sectionnant ses rhizomes*.

On procédera ensuite au semis* ou à la pose de la tourbe* de façon habituelle. (Voir *Semis, Tourbe*.)

REVITALISATION DU SOL

Voir *Oligo-éléments*.

RHIZOMES

Tiges souterraines de certaines plantes.

RICHESSE DU SOL EN MATIÈRES ORGANIQUES

Pour avoir une idée du niveau de matières organiques d'un sol, on prend une pincée de terre que l'on frotte entre ses doigts. Si le contact est rugueux, il y a peu de matières organiques dans le sol. Si, au contraire, la terre est douce au toucher, ou si elle tache les doigts, on sait qu'elle est riche en matières organiques.

RODENTICIDE

Pesticide* très efficace contre les rongeurs, le rodenticide est disponible en sachets de plastique qu'il n'est pas nécessaire d'ouvrir. Les mulots le feront eux-mêmes. Il suffit de placer les sachets dans les endroits que les mulots fréquentent, le long des murs, des haies, des clôtures, etc.

ROGNURES DE GAZON

Une pelouse où l'on enlève les rognures de gazon demande une fertilisation* accrue.

Pour la première tonte* après une fertilisation, il est préférable de laisser les rognures au sol, pour ne pas enlever l'engrais (surtout en fertilisation liquide) qui adhère au feuillage. Ainsi il retournera au sol et à la pelouse. Après une fertilisation, le feuillage contient davantage d'éléments nutritifs. En les retournant au sol, on contribue à la fertilisation de la pelouse.

Il est faux de prétendre que les rognures contribuent à l'accumulation de chaume* sur la pelouse. Le chaume se compose à 70 % de racines et de stolons* morts; c'est plutôt une mauvaise technique d'arrosage qui contribue à aggraver le problème. (Voir *Arrosage*.)

Les rognures de gazon font un excellent compost*, lequel, mélangé à une quantité égale de sable grossier, fera un excellent terreau* pour la pelouse l'année suivante.

ROTOCULTEUR

Le rotoculteur est une machine qui sert à tourner la terre.

Pour un coût minime, on peut le louer, à la journée ou à la demi-journée dans un centre de location d'outils.

ROUILLE

La rouille est l'équivalent du mildiou*. Elle se présente comme une poussière de couleur rouille sur le feuillage. Cette maladie se développe dans le pâturin* Mérion.

Dans les régions où cette maladie est un problème, une façon simple de la prévenir est de toujours ramasser les rognures de gazon et de s'assurer que la lame de la tondeuse est toujours bien aiguisée.

Il est préférable de semer le pâturin Mérion en mélange avec du pâturin du Kentucky et de la fétuque* qui sont plus résistants. Toutes les techniques applicables au mildiou le sont également pour la rouille.

(Voir *Mildiou*.)

ROULAGE

Le roulage du gazon au printemps pour éliminer les bosses n'a aucune raison d'être. Les petites bosses sont causées par les vers de terre, surtout en sol lourd, et elles réapparaîtront en quelques jours. Tout ce qu'on obtient ainsi c'est un sol plus compact.

On se sert du rouleau à demi plein pour compacter le sol lors de la préparation du terrain avant le semis ou la pause de la tourbe.

Le sol est prêt lorsque l'empreinte de pied n'y paraît presque plus ou qu'elle n'enfonce pas plus de 1 cm (¼ po) dans le sol. Il sera ainsi plus facile d'éliminer les creux où l'eau s'accumulerait pour nuire au gazon en saison humide et surtout l'hiver, causant ainsi l'asphyxie de la pelouse.

ROULEAU

Voir *Roulage.*

SAVON

Contre les mauvaises herbes tenaces, rien ne vaut quelques gouttes de savon mélangées à l'eau et à l'herbicide dans votre pulvérisateur.

Le savon permet à la goutte d'eau de s'étendre et de bien couvrir la feuille de mauvaise herbe. Le produit est plus efficace, l'absorption, meilleure et le résultat, garanti.

Deux ou trois gouttes suffisent, n'en mettez pas trop.

SEL DE DÉGLAÇAGE

Contrairement à la croyance, le sel de déglaçage affecte peu la pelouse.

Pour prévenir tout jaunissement le printemps venu, arrosez copieusement les endroits qui ont reçu du calcium pendant l'hiver. Il s'agit de lessiver le chlore et le sodium, qui sont d'ailleurs très solubles. Dès la première fertilisation, ça n'y paraîtra plus.

Si le problème persiste, vérifiez les autres causes possibles: compactage, gel en profondeur, mauvais drainage, pH incorrect. (Voir *Compactage, Drainage de surface, Drainage du sol, pH.*)

SEMIS

La meilleure période pour semer s'étend de la mi-août à la mi-septembre.

Une autre bonne période va de la fin d'avril à la fin de mai. On devra cependant s'attendre à une plus grande quantité de mauvaises herbes à contrôler, car cette période coïncide avec la germination normale des mauvaises herbes au printemps.

Pour un semis, la concentration idéale est de 10 à 20 graines par 2,5 cm^2 (1 po^2). On augmentera à 25 graines si le semis est fait durant une période moins propice.

Une journée avant le semis, arrosez à fond. C'est la dernière fois que vous pourrez le faire car, après, si vous arrosez trop, les graines risquent de partir à la dérive. L'arrosage en profondeur permet de vérifier une dernière fois le nivelage et le drainage de surface.

Avant de semer, il est bon d'alléger le premier 1,5 cm (½ po) de sol avec un râteau à feuilles.

Semez en deux étapes, à l'aide d'un épandeur d'engrais* si c'est sur une grande surface. Semez à mi-dose dans un sens, et le reste, dans l'autre sens, pour assurer une couverture uniforme.

Après le semis, repassez le râteau* légèrement pour recouvrir les graines. Assurez-vous qu'au moins 90 % des graines sont cachées.

Roulez avec un rouleau vide pour assurer un bon contact des graines avec le sol. L'ivraie (appelée aussi *raygrass*), qui sert de plante abri, germera en quelques jours; les autres variétés de semences suivront, en deux ou trois semaines. (Voir aussi *Roulage*.)

Après le semis, faites des arrosages légers et fréquents pour maintenir le sol humide, mais non détrempé. Continuez ainsi jusqu'à ce que la levée soit uniforme, généralement entre 15 et 20 jours plus tard. (Voir aussi *Préparation du sol*.)

Dans le cas d'une réparation de la pelouse, le semis sera meilleur avec un terreautage*.

Fertilisez le sol à raison de 110 à 220 g (¼ à ½ lb) d'azote* dès que les semis ont atteint entre 2,5 et 5 cm (1 à 2 po) de hauteur. Cette application assure une implantation plus rapide de la pelouse.

SEMIS D'ENTRETIEN

Une fois tous les trois ou quatre ans, il est bon de ressemer votre pelouse pour vous assurer qu'elle se compose d'une bonne variété de graminées et évitez que des graminées indésirables ne la remplacent graduellement.

Le semis d'entretien permet également de conserver une couleur uniforme à votre pelouse.

Effectuez cette opération en même temps que le terreautage*, de façon à ne pas semer directement sur la couche de chaume*. Si le chaume est mince ou absent, on peut utiliser le verticut* pour cette opération. Profitez-en pour introduire des mélanges* de gazon bien adaptés aux conditions de votre terrain: ombre, sol lourd, type d'entretien, etc.

Tondez la vieille pelouse très court, de crainte qu'elle n'étouffe le jeune semis lorsqu'il germera. Il faut également éviter de fertiliser avant ou pendant la germination; attendez plutôt que le nouveau gazon atteigne 2,5 cm (1 po). Si vous stimulez trop le vieux gazon, il étouffera les jeunes plants.

SEMIS ET TAPIS PRÉSEMÉS

Il existe sur le marché des tapis présemés pour la pelouse. Il s'agit d'un treillis biodégradable sur lequel les graines sont collées. On y trouve aussi des engrais* et parfois des hormones pour stimuler l'enracinement.

Parce qu'ils ne garantissent pas un bon contact avec le sol, ces systèmes ne sont pas à conseiller pour de grandes surfaces. Utilisez-les pour des réparations rapides. Ils peuvent aussi être pratiques pour les semis en pente, là où il est difficile de procéder à un semis ordinaire. La préparation du sol demeure la même avec cette méthode.

SEPTEMBRE

Continuez à tondre à au moins 5 cm (2 po). Plus c'est long, plus la plante peut accumuler des réserves par la photosynthèse.

Avec la fraîcheur qui revient, c'est de nouveau le temps de contrôler les mauvaises herbes qui sont apparues depuis le printemps.

C'est le temps du ver blanc*. Attention! ses ravages sont très rapides et très importants.

N'oubliez pas de prendre un échantillon de sol pour en vérifier le pH.

Les deux premières semaines de septembre sont aussi particulièrement propices aux semis*.

SEVIN

Produit insecticide surtout utilisé pour contrôler des populations excessives de vers de terre ou de limaces.

(Voir aussi *Insecticides*.)

SOL ARGILEUX

Voir *Sol glaiseux*.

SOL GLAISEUX

Le sol lourd (ou glaiseux) retient l'eau et, à condition d'assurer un bon drainage*, c'est un sol qui convient bien à l'établissement de la pelouse, surtout si vous n'avez pas l'intention de forcer l'entretien. Ajoutez la chaux* nécessaire et une bonne quantité de matière organique pour en tirer un sol de qualité.

(Voir *Engrais.)*

On peut aussi ajouter de 5 à 7 cm (2 à 2,75 po) de sable grossier et de la mousse de tourbe*, que l'on incorpore au sol.

En présence d'un sol glaiseux, on évitera de se contenter de couvrir la glaise de quelques centimètres de sol sablonneux*, comme on le fait malheureusement trop souvent. Quand on procède ainsi, les racines ne peuvent descendre en profondeur, et la pelouse sera très sensible à la sécheresse et aux chaleurs.

SOL LOURD

Voir *Sol glaiseux*.

SOL SABLONNEUX

Pour améliorer un sol sablonneux, on y ajoute de 7 à 10 cm (2,75 à 4 po) de terre glaiseuse que l'on mélange au rotoculteur*.

SONDE

La sonde est un outil tubulaire muni d'une poignée qui permet de prélever des «carottes» de terre en vue de les faire analyser.

On peut remplacer cet outil par une pelle ou une truelle étroite servant à la plantation des bulbes.

Aiguisez-les à l'aide d'une meule pour creuser plus facilement.

SOUCHE D'ARBRE

Plusieurs méthodes sont à votre disposition pour leur destruction:

— La destruction mécanique, à l'aide de machines qui grugent littéralement la souche, ne laisse que des copeaux et un trou que l'on comble avec de la terre pour y réinstaller la pelouse. Plusieurs compagnies offrent ce service.

— Le traitement chimique avec du nitrate de potassium* (appelé aussi 13-0-46 ou 12-0-44) et du mazout. À l'automne on perce des trous dans la souche que l'on remplit de nitrate de potassium et on rebouche les trous. Le printemps suivant, on remplit de nouveau, cette fois avec le mazout, et on y met le feu. La souche se consumera entièrement en quelques jours.

— Il existe également en magasin des produits liquides efficaces pour détruire les souches. Appliquez ces produits directement sur la souche et elle se dégradera d'elle-même en quelques mois.

— Au lieu de la détruire, on peut y cultiver le pleurote, champignon comestible, qui la décomposera graduellement. Adressez-vous à votre centre de jardinage pour en connaître les détails.

SOUCHET

Mauvaise herbe qui ressemble à une graminée mais dont le feuillage est plus pâle et plus raide que le gazon.

Le souchet appartient, comme le carex, à la famille des Cypéracées, c'est une plante herbacée qui pousse au bord de l'eau.

Le souchet est apporté avec la terre noire de mauvaise qualité en provenance d'anciens marécages. La seule façon de s'en débarrasser est de badigeonner les feuilles avec du *glyphosate**. Attention: ce produit tue également le gazon s'il le touche.

STOLON

Le stolon est la tige rampante de certaines plantes.

STRESS THERMIQUE

On le rencontre surtout sur les talus face au sud, ou près des murets qui concentrent l'effet du soleil.

Ce phénomène se produit lors de températures très chaudes avec un degré d'humidité extrême. Pour se refroidir, le gazon doit évaporer de l'eau par sa transpiration. Mais lorsque l'air est déjà saturé d'humidité, en période de canicule, cette opération est impossible et la température du feuillage devient rapidement trop élevée.

L'enchevêtrement des feuilles de gazon dans la pelouse crée des points chauds où les cellules sont tuées. Ceci entraîne des zones jaunâtres d'environ 1 cm (½ po) sur la feuille qui se courbe par manque de support à cet endroit. La pelouse prend rapidement une apparence maladive et semble écrasée.

Le remède consiste à ombrager légèrement ces endroits à l'aide de plants. Pour les talus, utilisez de préférence un boyau troué pour bien détremper le sol.

Évitez les pentes perpendiculaires au soleil du midi, car la pelouse sera trop exposée et sujette au stress thermique.

SULPHATE

C'est le produit idéal pour acidifier votre sol, si le pH* est supérieur à 7,5.

Il se présente sous plusieurs formes.

Les plus connues sont:

— Le *sulphate d'aluminium*, vendu dans les pépinières pour faire bleuir les épinettes bleues.

— Le *soufre micro-fin*. Plus il est fin, plus l'action sera rapide.

— Le *sulphate d'ammonium*, qui contient aussi de l'azote*. Attention à la dose, pour ne pas trop stimuler la croissance de la pelouse.

Consultez votre centre de jardinage local pour connaître les taux d'application en fonction du type de sol et du pH.

TACHES EN DOLLAR

À la fin du printemps, ou au début de l'automne, des petites plaques jaunes de 3 à 5 cm (1 à 2 po) apparaissent sur la pelouse.

Cette maladie se présente sur les sols légèrement pauvres en azote* et humides. Observez la pelouse affectée, le matin, alors que la rosée y est présente. Vous verrez de petits filaments ressemblant à des toiles d'arraignée et couvrant le feuillage. C'est la façon sûre de déceler ce problème.

Maintenez une bonne richesse du sol en azote sans toutefois trop stimuler la croissance. Évitez d'appliquer trop d'azote le printemps pour activer la pelouse. Utilisez plutôt des engrais à dégagement lent.

Si un fongicide* s'impose, évitez les systémiques et, de préférence, traitez avec deux produits différents à deux semaines d'intervalle. Ce champignon développe rapidement des résistances à ces produits.

Appliquez toutes les techniques propres à réduire ou à prévenir les maladies.

(Voir *Maladies*.)

TACHES FOLIAIRES

Le premier stade de cette maladie se présente sous forme de petites taches ovales claires, cernées de brun ou de noir, sur le feuillage.

Pas une seule pelouse de pâturin* du Kentucky au Québec n'en est exempte. Mais, à ce stade, il n'y a pas de danger. Il faut même être à quatre pattes sur le sol pour voir ces taches.

Le problème survient lors de température chaude et humide. La base de la plante noircit et la plante dépérit rapidement. La pelouse devient très clairsemée. Un pâturin en situation ombragée y est très susceptible.

Pour prévenir cette maladie, n'appliquez pas trop d'azote* au printemps. Tondez le gazon plus long en période propice et ramassez les rognures*. Cela aide beaucoup.

Tout bon fongicide* fera l'affaire. Évitez toutefois d'abuser du *bénomyl* car, dans le cas de variété résistante, il encouragera la maladie plutôt que de l'enrayer.

(Voir aussi *Maladie*.)

TACHES NOIRES

Voir *Moisissure visqueuse.*

TALUS

Autant que possible, évitez les talus, en prévoyant votre pelouse. Coupez les pentes* trop raides par des murs de soutènement.

Les talus ensoleillés demandent des arrosages* moins abondants, mais beaucoup plus fréquents, ainsi que des fertilisations* réparties en plusieurs petites doses, car le lessivage y est plus important.

Évitez les brusques changements de niveau qui rendent difficile la tonte* et abîment les couteaux de la tondeuse. Ces endroits sont souvent rasés par la tondeuse, ce qui donne au gazon un aspect maladif.

Les talus à pente plus douce ont avantage à être aérés souvent. Les trous aideront la pénétration de l'eau et de l'engrais*.

TAPIS PRÉSEMÉS

Voir *Semis et tapis présemés.*

TAUPE

Les taupes peuvent causer d'importants dégâts et sont difficiles à contrôler. Les techniques à utiliser pour s'en débarrasser sont les suivantes:

— Les taupes se nourrissent de vers blancs*, de vers de terre* et d'autres insectes. Extirpez-les à l'aide d'insecticides*. Elles iront ailleurs en quête de nourriture.

— On peut aussi utiliser la bombe à base de *dioxyde de soufre.* Pour ce faire, bouchez tous les trous avec de la terre, sauf un, allumez la bombe, mettez-la dans le dernier trou et rebouchez-le. Évitez de respirer la fumée qui se dégage et enrayez les fuites s'il y a lieu. Ce produit est disponible dans les bons centres de jardinage.

Il existe aussi des trappes et des appâts, mais ils sont peu efficaces.

TENEUR EN AZOTE D'UN ENGRAIS

Voir *Azote*.

TERREAU

Mélange formé de terre minérale et de produits organiques.

(Voir *Terreautage.*)

TERREAUTAGE

Le terreautage est une bonne façon de remettre de la matière organique dans le sol en étendant sur la pelouse une couche de compost ou de fumier bien décomposé.

Ne dépassez pas de 1 à 2 cm (½ à ¾ po) d'épaisseur à la fois et faites pénétrer entre les brins d'herbe à l'aide d'un râteau.

Un bon terreautage demande environ de 0,5 à 1,5 m^3 (0,5 à 1,5 v^3) de terreau par 100 m^2 (120 v^2). La terre noire ne vaut rien pour cette opération.

Profitez-en pour ajouter une bonne semence à gazon à raison de 250 à 500 g (½ à 1 lb) de semence par 100 m^2 (120 v^2).

Le terreautage peut se faire au printemps ou à l'automne lorsque la pelouse est en croissance active.

C'est également la meilleure méthode pour réduire le chaume* qui se décomposera rapidement par la suite. Passez d'abord un aérateur* pour un meilleur résultat.

Auparavant, passez la tondeuse; le travail sera plus facile si l'herbe est courte.

TÉTRANYQUE DU TRÈFLE

C'est une petite araignée qui s'attaque à la pelouse en piquant le feuillage pour en sucer la sève. Ses dégâts sont peu importants et passent habituellement inaperçus, sauf en saison très sèche où elle produit un dessèchement de la pelouse.

Les premiers symptômes sont des petits points jaunâtres sur le feuillage qui ressemblent à des piqûres d'aiguille.

Les dégâts importants se limitent généralement aux pelouses près des solages et des murets où la température du sol et de l'air est très élevée, ce qu'affectionnent les tétranyques.

On peut contrôler naturellement la situation en aspergeant régulièrement le feuillage pour le maintenir humide dès que l'on en note les premiers symptômes. Ces araignées détestent l'eau, qui neutralise leur attaque. Une pelouse bien arrosée peut en supporter une population importante sans qu'il n'y paraisse.

En cas de dégâts significatifs, employez un pesticide, tel le *kelthane (dicofol)*, pour réduire la population.

TIGE ET BONNES GRAMINÉES

Une façon de distinguer les bonnes des mauvaises graminées de pelouse consiste à bien examiner la tige. Les bonnes graminées, tels les pâturins, la fétuque et l'ivraie, ont une tige aplatie qui ne roule pas entre les doigts.

Les espèces indésirables pour une pelouse domestique présentent une tige ronde (chiendent*, agrostide*, digitaire*, etc.), ou triangulaire, comme le souchet*.

TONDEUSE

Lors de l'achat d'une tondeuse, assurez-vous de choisir un appareil de bonne qualité que vous pourrez utiliser durant de nombreuses années. Les modèles aux gadgets supermodernes sont souvent très compliqués et, par conséquent, risquent de se briser fréquemment.

Il est très important de bien entretenir votre tondeuse et de lui faire une mise au point chaque printemps.

Aiguisez les couteaux régulièrement au cours de la saison. Une coupe nette se cicatrise bien et réduit les risques de maladie. On reconnaît une lame mal aiguisée en observant le feuillage: la pointe est effilochée et séchée sur quelques millimètres.

TONDEUSE À ESSENCE

Sur un terrain avec de fortes pentes, il est préférable d'opter pour un moteur qui fonctionne avec un mélange huile/essence. Ceux qui sont à base d'huile ont tendance à mal se lubrifier s'ils ne sont pas à l'horizontale, et ils dureront moins longtemps.

TONTE

N'enlevez jamais plus du tiers du feuillage à chaque tonte. Un gazon trop long devra être rabaissé par étapes, pour éviter qu'il ne jaunisse.

Évitez de toujours tondre dans le même sens car si votre pelouse contient du pâturin annuel* ou des agrostides*, ils auront tendance à pousser à l'horizontale pour former de longues tiges qui retroussent lorsqu'elles sont raclées à rebrousse-poil, et ainsi produire un effet de malpropreté sur la pelouse.

On peut tondre la pelouse court au printemps, de 4 à 5 cm (1,5 à 2 po).

Dès que les chaleurs arrivent augmentez à environ 7 cm (2,75 po) pour garder une certaine fraîcheur aux racines. L'automne, maintenez cette même longueur pour permettre au gazon, par la photosynthèse, d'amasser le maximum de réserves.

À la dernière tonte avant l'hiver, on abaisse la hauteur à 4 cm (1,5 po). Ceci permettra un nettoyage plus facile le printemps suivant, en plus d'offrir une bonne protection contre les mulots.

TOP SOIL

L'expression *top soil* n'est pas une garantie de qualité, contrairement à ce que l'on pense parfois. Elle signifie simplement que la terre a été ramassée à la surface du sol. Ce peut être n'importe quoi pour un vendeur peu scrupuleux: sable, glaise, etc.

La terre noire n'est pas souhaitable pour une pelouse.

Quoique très facile à travailler, cette terre noire nuit à la pelouse car, en temps de sécheresse, il est très difficile de la réhumecter. Elle est également trop acide et très pauvre en matières nutritives.

TOURBAGE, TOURBE

La tourbe composée à 100 % de pâturin* Mérion demande beaucoup d'entretien et de fertilisation* pour conserver toute sa vigueur.

Choisissez une tourbe contenant un mélange de pâturin Mérion et de pâturin du Kentucky, plus durable si le niveau d'entretien est passable.

Exigez de connaître les espèces présentes dans la tourbe avant de l'acheter.

Lors de la pause, le découpage se fait beaucoup plus facilement avec un couteau de cuisine bien affilé. Retournez la plaque de tourbe à l'envers, pour la couper du côté des racines. Le travail est ainsi net et facile.

On arrose la tourbe — même au soleil — le plus tôt possible après la pose. De plus, il faut la poser dès sa réception, sinon elle risque de chauffer et de jaunir rapidement.

Il faut éviter d'étirer les plaques de tourbe en les déroulant; elles laisseraient autrement paraître entre les lanières des espaces qui prendraient du temps à se combler.

Quand on pose de la tourbe, il est inutile — contrairement à la croyance populaire — de voir à ce que les coutures n'arrivent pas vis-à-vis les unes des autres; elles disparaîtront de toute façon au bout de quelques jours.

Placez toujours les retailles à l'envers sur la tourbe déjà posée. Elles seront plus faciles à récupérer à la fin des travaux. Une tache brune sur fond vert se voit en effet de loin.

Dans les pentes raides, maintenez les plaques en place à l'aide de piquets de bois. Des bardeaux de cèdre sont économiques, faciles à manipuler et bien pointus. Un bardeau donne en moyenne trois piquets.

Il est également bon d'arroser le sol la veille de la pose. Cela permet de vérifier le nivelage et facilite l'enracinement de la nouvelle pelouse.

Il faut fertiliser la nouvelle pelouse en dessous et par-dessus, pour accélérer son établissement. En dessous, on met un engrais gazonneur* (ou transplanteur); par-dessus, on fertilise avec un engrais azoté* à demi-dose. (Voir aussi *Préparation du sol*.)

TROUS DANS LA PELOUSE

La présence soudaine de trous dans la pelouse peut être due à quatre facteurs:

— Des trous d'environ 2,5 à 5 cm (1 à 2 po) de diamètre et semblant former des tunnels indiquent la présence de taupes*. (Voir *Taupe*.)

— Des trous de même diamètre, soit de 2,5 à 5 cm (1 à 2 po), mais peu profonds, sont faits par des mouffettes qui cherchent des vers blancs. Un traitement à l'insecticide tuera les vers et la mouffette s'en ira ailleurs. (Voir *Mouffette*.)

— Une multitude de trous de quelques millimètres sont causés par les oiseaux. Cela indique la présence de punaises des céréales ou de calandres. Un traitement avec un bon insecticide s'impose avant que des dégâts n'apparaissent. (Voir *Punaises des céréales*, *Calandre*.)

— Des trous de même dimension sur un terrain très raboteux sont causés par des vers de terre. (Voir *Vers de terre*.)

TROUS DANS LE CHAUME

Voir *Pyrale des prés*.

TYPE DE SOL

Quel genre de sol avez-vous? Pour le savoir, prenez une pincée de terre dans le creux de la main, et ajoutez-y un peu de salive. Avec l'index, mélangez le tout en un mouvement circulaire.

Le sol sablonneux s'étend au creux de la main sans s'agglomérer et est très rugueux.

Le sol glaiseux forme rapidement une boulette compacte.

Le bon sol forme des grumeaux friables, ou une boulette peu solide.

La présence de rhizomes* ou de stolons* blanchâtres dans la terre en vrac indique la présence de chiendent*. On devrait donc toujours examiner attentivement la terre avant de l'acheter.

URINE D'ANIMAUX DOMESTIQUES

L'urine de chien et de chat brûle le gazon. Elle provoque des plaques d'herbe morte, circulaires, avec souvent autour une zone plus foncée où la croissance de l'herbe est plus rapide.

L'urine contient de l'ammoniaque, source d'azote qui brûle la pelouse si elle est trop concentrée mais elle finit par la faire pousser lorsqu'elle est plus diluée.

Utilisez des répulsifs pour tenir ces animaux loin de votre pelouse.

VER BLANC

Cet insecte est la larve du hanneton que l'on rencontre souvent vers la fin de juin. L'adulte est attiré par la lumière. Aussi il est préférable, les années où il y en a beaucoup, de réduire l'éclairage extérieur à cette période de l'année, en espérant qu'ils iront pondre ailleurs.

La larve est présente dans le sol pendant plusieurs années, mais ce n'est qu'en juin et en septembre que cet insecte fait des ravages. On retrouve le ver blanc sous le chaume*, où il coupe les racines et les stolons* de la pelouse. Résultat: la pelouse jaunit et s'arrache par plaques, un peu comme de la tourbe fraîchement posée.

Il est préférable de traiter la pelouse dès que l'on constate des dégâts. La prévention est difficile, voire impossible, en été parce que la larve descend en profondeur pour se protéger de la chaleur et de la sécheresse. On appliquera de préférence du *diazinon** car les autres insecticides ont de la difficulté à traverser la couche de chaume*. Un bon arrosage après le traitement aide énormément.

VER DE TERRE

Animal utile s'il en est, le ver de terre aère le sol et détruit le chaume*. En sol glaiseux*, par contre, il forme à la surface du sol de petits monticules qui, en durcissant, rendent la surface très raboteuse et la tonte de la pelouse difficile.

Leur contrôle, bien que ardu, peut se faire au printemps avec du *sevin**. Arrosez abondamment quelques heures avant le traitement, et de nouveau après. Dans certains cas, il peut être nécessaire de traiter chaque année.

VER GRIS

Le ver gris est souvent mentionné comme un ennemi de la pelouse, mais ses dégâts sont si minimes qu'il faut être expert pour les remarquer. C'est un insecte habituellement non épidémique qui est plus à craindre dans le potager.

VERTICUT

Cette machine, très utile sur les terrains de golf, commence à être connue du public.

Elle tranche le chaume* et le sol tous les 5 cm (2 po) sur une profondeur de 5 à 7 cm (2 à 2,75 po). Cela aide au contrôle du chaume. Mais, surtout, elle tranche ainsi les rhizomes* du gazon et stimule l'émission de nouvelles tiges. C'est très utile pour éviter une séparation des espèces qui composent la pelouse et l'apparition de nuances de couleur sur la surface gazonnée.

Cette machine est équipée d'un semoir qui introduit la semence dans le sol. Elle permet donc de faire un semis d'entretien* sans terreautage*. Évitez toutefois de faire ce semis si le chaume est très épais car la germination sera trop faible.

Pour de meilleurs résultats, il faut utiliser le verticut lorsque le gazon est en croissance active.

VIOLETTE SAUVAGE

C'est une mauvaise herbe difficile à détruire car elle résiste aux applications d'herbicide. Pour vous en débarrasser, corriger le pH du sol.

(Voir *pH*.)